最牛早餐妈

跳跳妈　著

广东省出版集团
新世纪出版社

图书在版编目（CIP）数据

最牛早餐妈 / 跳跳妈著.--广州：新世纪出版社，2011.12
ISBN 978-7-5405-4882-7

Ⅰ.①最… Ⅱ.①跳… Ⅲ.①食谱 Ⅳ.①TS972.12

中国版本图书馆CIP数据核字（2011）第235041号

出 版 人：孙泽军　　　　　　策　　划：蔡　静

责任编辑：宁　伟　　　　　　装帧设计：林丹妍

特约编辑：蔡　静　　　　　　技术编辑：冯　隆

最牛早餐妈

跳跳妈　著

出版发行：新世纪出版社

经　　销：全国新华书店

制　　作：◆ 广州公元传播有限公司

印　　刷：广州汉鼎印务有限公司

规　　格：889mm×1194mm　1/24

印　　张：6印张

字　　数：50千

版　　次：2012年1月第1版第1次印刷

书　　号：ISBN 978-7-5405-4882-7

定　　价：23.00元

如发现印装质量问题影响阅读，请致电020-38865309联系调换。

跳妈系着围裙，拿着哈利的魔法杖，一阵叨咕，一个曼妙的转身，桌子上就摆满各色早餐了！

一口气看完这本活色生香的早餐大全，脑子里就浮现出这个场景！

武汉人把吃早餐叫"过早"，犹如过节一般隆重：各色小吃琳琅满目，隆重得很。现代人日子好了，过早却过得匆匆忙忙。街边来一碗热干面，一个油面窝，直接冲上车。惬意地享受一份早餐竟成了奢求。

我与跳妈是青梅竹马的亲戚，年纪相当，但论辈分我却长她一辈。于是无论小学、中学、大学，她都要恭敬地叫我一声：叔叔！有趣的是，中学我俩还在一个班上，叔叔侄女是同班同学，似乎是件很拉风的事情。

跳妈有着武汉姑娘典型的磊落豪爽，上学的时候我没少蹭她的零食。没想到，如今她居然爆红成为网络名人，身在媒体的本叔叔也不由感叹"用心"二字的厉害：跳妈连续两百多天做出的不重样的早餐，让我家的跳跳贤孙每天饱食不同风味的美食，也让无数小朋友和年轻的妈妈们各种羡慕嫉妒涌上心头。

这本可爱的早餐书，满满都是妈妈的爱。其中一章"养生黑糊糊"中写道："不知有多少个夜晚，我都是在挂号大厅的凉凳上度过……"，看得我眼眶湿润。

最近在读吴祥辉先生的著作《陪你走中国》。他带着儿子在中国旅游了一圈，作为送给儿子的毕业礼物。书中俏皮的父子对话里，不仅有中国沧桑的历史，还蕴含了父亲深沉的爱。

跳妈这本《最牛早餐妈》和吴先生的作品似有异曲同工之处，在一份份精美的早餐里，浓缩了无限母爱。我忍不住要大声宣告：这哪里是早餐，这明明是母性光辉的显现！！

最后想说的是，跳妈的母亲，也就是我的嫂子，是一位内敛、端庄、慈爱的传统中国女性，不幸的是她英年早逝，跳跳也从没见过她的外婆。我想，跳妈之所以成为"最牛早餐妈"，大概也是因为她把自己过早失去的母爱，加倍倾注在了跳跳身上吧。

天下的妈妈都是最牛的妈妈，因为母爱，真的很伟大！

楚天交通广播主持人
章涛

目录

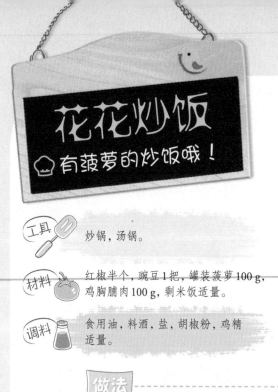

花花炒饭
🍚 有菠萝的炒饭哦！

清晨，石小跳迷迷糊糊地醒来，第一句话就是："妈妈，今天早餐吃什么？"当得到是炒饭的答案后，小人儿脸上有一些失望。"是有菠萝的炒饭哦！"我立刻补充道。石小跳听罢，眼神透露出期待，继而要求："那还要有鸡蛋和火腿！"我没敢吱声，因为，我没打算放鸡蛋、火腿。他洗漱完毕后捧着小碗到厨房盛饭，一瞧见没有他想要的，嘟着嘴，满脸的不高兴。"跳跳，要不你就先尝一口菠萝吧？"小人儿有些勉强地吃下一块菠萝……接下来，他舀走了我碗中所有的菠萝……大快朵颐……

这就对了嘛！小朋友怎么能抗拒酸酸甜甜的菠萝呢？

工具 炒锅，汤锅。

材料 红椒半个，豌豆1把，罐装菠萝100 g，鸡胸脯肉100 g，剩米饭适量。

调料 食用油，料酒，盐，胡椒粉，鸡精适量。

做法

1 准备材料。将鸡胸脯肉、菠萝、红椒切丁，豌豆洗净。

2 鸡肉中加适量料酒、盐、淀粉腌制10分钟。

3 腌肉的同时，另外取一只小汤锅烧些开水，水沸后将豌豆倒入锅中，煮熟后沥出待用。

4 起锅，油烧热后，放入腌好的鸡肉丁爆炒30秒，盛出。

5 在爆炒过鸡肉丁的锅中留些底油，将剩米饭倒入锅中后快速炒散炒透。

6 依次放入豌豆、红椒丁、鸡肉丁和菠萝丁，每放一种食材翻炒均匀后再放下一样。

7 炒匀后加适量盐、胡椒粉和鸡精调味，即可盛出装盘。

tips

豌豆和鸡肉都是熟的，红椒和菠萝则可以生食，所以以上食材加入锅中后都不需要久炒，如果炒太久了，色泽和口感就不好了。也正是因为加料后的米饭不能久炒，所以在剩米饭倒入后一定要耐心的炒热炒透，即使是分秒必争的清晨，咱也不能马虎哟！

菠萝鸡盖饭

做不浪费粮食的好孩子

工具 炒锅。

材料 黄瓜30 g，胡萝卜30 g，罐装菠萝100 g，鸡肉100 g。

调料 菠萝汁3大勺，生抽，美极鲜，醋，料酒，盐，胡椒粉，淀粉，食用油各适量。

昨天吃过花花炒饭后，石小跳一直惦记着剩下的那半罐菠萝，寻思着要如何尽快地吃光它们。于是与我商量："妈妈，剩下的菠萝怎么办呢？"我逗他说："是哦，怎么办呢？炒饭也没能用完，就这么吃吧，又好冰，倒掉算了？"小人儿急了："不行！老师说了，不能浪费粮食！明天还是用菠萝做早餐啊！"呵呵，不错啊！老师的话不仅记住了，而且还能活学活用，行！反正菠萝和鸡肉都有些剩的，那咱继续吧！

做法

1 提前准备：黄瓜、胡萝卜、鸡肉切丁；菠萝切丁后，另取少许菠萝汁待用。

10分钟

2 在鸡肉中放淀粉、料酒、盐腌制10分钟。同时把生抽、美极鲜、醋、盐和菠萝汁混合调成汁，再调点水淀粉作勾芡用。

30秒钟

3 油热后，放腌制好的鸡肉丁爆炒30秒后盛出。

4 锅中留底油，倒入调料汁，煮沸后加水淀粉再煮至浓稠。

5 将胡萝卜丁、黄瓜丁、菠萝丁和鸡肉丁全部倒入，不用久炒，翻拌均匀后即盛出。

6 盛米饭，将菠萝鸡连汤汁一同浇在米饭上即可。

tips

1. 爆鸡肉的时间一定不要太久，30秒足够了，后面咱不是还得回个锅吗？

2. 胡萝卜不易煮熟，可以在烹饪之前先用开水焯烫断生。

3. 汤汁不要收得太干，留些拌着饭吃更美味呢！

番茄牛腩汤

👨‍🍳 投其所好

工具 🍳 炒锅，砂锅。

材料 🍅 牛腩 500 g，番茄 3 个，洋葱半个，葱姜各少许。

调料 🧂 料酒，老抽，盐，鸡精适量。

逛超市的时候，偶遇了两块上好的牛腩，爱不释手啊——于是就琢磨着怎么最大化地发挥其作用。红烧着吃吧？可就着米饭囫囵吞枣地吃下去，总觉得太对不起牛腩了。用萝卜清炖呢？石小跳同学不怎么爱啊……用番茄煲汤呢？大爱番茄的石小跳……没错！很对他路子了！于是顺手挑了 3 个漂亮的番茄，美滋滋地回家了。

牛腩炖得软烂又不失筋道，番茄汤酸甜适中，连汤带肉一碗进肚，甭提有多满足了。手边如果正好有吐司面包或者馒头啥的，搭配着一起吃，这一顿就齐活了！

做法

1 洋葱、姜、蒜洗净后切片。

2 将番茄、牛腩切块。

3 牛腩放开水中焯一下，出出血水。

4 焯好的牛腩捞出后用清水冲去浮沫，待用。

5 油热后，放洋葱片和姜蒜片炒香。

6 放入牛腩后加料酒、老抽、盐调味，翻炒均匀后关火。

7 砂锅放足量的水，水烧沸腾后，将炒过的牛腩连同汤汁一并倒入砂锅中。

8 放入一半的番茄，小火煲约1小时。

9 1小时后，再倒入剩下的番茄，继续煲15分钟，最后加胡椒粉和鸡精调味即可。

番茄牛腩拉面

一锅好汤成就一碗好面

工具 汤锅。

材料 拉面 100 g，青菜 1 小把。

调料 盐适量。

石小跳爱吃面条，尤其喜欢去餐厅吃某某拉面，餐厅里盛面条的碗比他的脸还要大。浓白的猪骨汤配以各种时蔬和肉类，一碗下肚温暖又饱足。其实一碗面好吃与否关键就取决于面汤的好坏，清水煮或者高汤煮，味道是截然不同的。我们不妨在休息的日子，用猪骨或鸡架煲上一锅高汤，然后用保鲜盒分装冷冻起来，清晨用高汤煮面，搭配些青菜再加一个鸡蛋，速成又不失营养和美味。

做法

1 准备拉面和青菜少许。

2 锅中放水煮至沸腾后放入拉面。

3 放少许盐，面条快煮熟时放入青菜稍稍焯一下。

4 将煮熟的面条捞出放入碗中。

5 倒入烧开的番茄牛腩汤，摆上青菜即可。

猪仔豆沙包

🍳与孩子一起玩面团

工具 🥄 蒸锅。

材料 🍅 中筋面粉250 g, 清水130 g, 酵母4 g, 无铝泡打粉3 g, 豆沙适量。

调料 🧂 细砂糖20 g。

做面点类的食物是一件很有趣的事情, 就好像小朋友玩橡皮泥, 可以自由发挥无穷的想象。不知道是不是受我的影响, 石小跳特别喜欢用橡皮泥玩做饭的游戏, 用玩具小刀、小砧板做各式花样的"美食"。所以, 在做面点的面团整形时, 我总会叫上孩子一起玩, 别担心孩子捏不好形状, 越是稀奇古怪模样的成品, 孩子越是喜欢, 而且还会大口大口开心地吃掉呢。今天, 石小跳捧着这小包, 左右为难: "妈妈, 我是先吃猪耳朵还是猪鼻子呢?"

做法

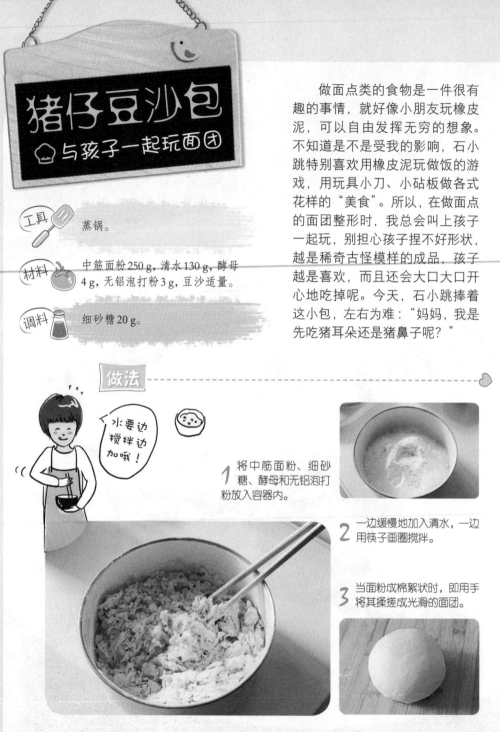

水要边搅拌边加哦!

1 将中筋面粉、细砂糖、酵母和无铝泡打粉放入容器内。

2 一边缓慢地加入清水, 一边用筷子画圈搅拌。

3 当面粉成棉絮状时, 即用手将其揉搓成光滑的面团。

是之前的2倍大

4 将面团放入一个稍大些的容器中，盖上保鲜膜置于温暖处发酵。

5 当面团发酵至2倍大时，取出。

20分钟

6 轻轻按压排气，盖上保鲜膜松弛20分钟。

7 准备豆沙馅。包馅时要用到勺子、筷子和牙签。

8 将松弛好的面团分割约20g出来待用，其余的分为等量的10等份，盖上保鲜膜，依次整形。取出一块面团，用手按压成面片，包入豆沙馅，捏紧收口。

9 面团收口朝下，从20g的面团中取一小块出来，揉搓成小椭圆形，蘸水后粘在包了馅的面团上，用筷子戳两个孔，作为猪鼻子。

10 用筷子在面团上合适的位置戳两个小孔，以作猪眼睛。

11 用牙签在猪眼睛里填入豆沙。

12 再取两小块面团，整理成三角形，蘸水后粘在眼睛上方，作为猪耳朵。

20分钟

13 依次处理好所有的面团，摆入蒸屉中。蒸屉内刷油或垫布防粘。蒸锅内放水烧至50℃时，关火，将蒸屉摆上，盖好盖子，继续醒发20分钟。经过再一次的醒发，包子会更暄腾柔软，更好吃！

15分钟

14 当面团体积稍变大些后，开火，水沸上汽后，用中小火蒸15分钟。

tips

① 水不要一次性加到面粉中，因为不同的面粉其吸水量也不尽相同，所以水要边搅拌边加，适时调整。

② 在做面团整形的时候，其余还未用到的面团一定要用保鲜膜覆盖，以免风干。同样地，整形好的面团在放入蒸屉中后，也要随手用保鲜膜覆盖起来，以免风干。

③ 蒸好的包子，在关火后不要立即揭开锅盖，因为包子遇冷空气会起皱纹。如果焖5分钟后再打开，包子就漂亮啦！

④ 无铝泡打粉是一种复合疏松剂，主要用于面点食品的快速发酵。作为食品添加剂，都会使人们感到有些紧张，但只要是合理选择和使用，偶尔食用并不会对人体造成伤害。

土豆焖面

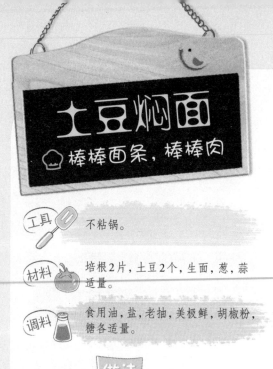

棒棒面条，棒棒肉

石小跳爱吃面，但必须得是"有味道"的，摆明了就是告诉我，他拒绝吃清汤面。焖面与武汉的热干面有些类似，都属于干拌的一类。但相比较而言，焖面更加富于变化，针对孩子的口味，配以不用的食材烹饪，便能变换出不同花式的焖面了。棒棒形状的土豆，搭配面条和培根，早餐之前对孩子说："今天，咱们来玩棒棒面条，棒棒肉的游戏吧？吃完后比比看，谁的味道最好，谁就赢啦！"

工具 不粘锅。

材料 培根2片，土豆2个，生面，葱，蒜适量。

调料 食用油，盐，老抽，美极鲜，胡椒粉，糖各适量。

做法

1 土豆去皮后切成条状，培根切成与土豆长度相当的条状，葱和蒜切片。

2 油热后，放葱片和蒜片炒香后，倒入培根条略炒。

3 待培根条炒出油后，放入土豆条一起炒。

4 调入老抽、盐、美极鲜同炒。

5 炒匀后，加水没过所有的食材。

6 水煮沸后，盛出汤汁，待用。

7 盛出汤汁后，将1/2的生面码放在土豆和培根上，并在面条的表面淋上一层薄油（淋油是为了使面条之间不粘连，利于后面的挑拌）。

8 接着将剩余的1/2生面码放在淋了油的面条上。

9 将1/3的汤汁均匀地浇在生面上。

10 盖上锅盖焖，随时观察锅内情况，避免糊锅。

11 当锅内的汤汁收得略干时，揭开锅盖再加入1/3的汤汁。

12 盖上锅盖继续焖，注意观察，避免糊锅。

搅拌均匀

13 待汤汁收得差不多干时，揭开锅盖将剩余的汤汁全部倒入。

14 用筷子将汤汁和面条挑拌均匀，调入胡椒粉和一点点糖，即可。

tips

① 第一次做焖面的时候用的是铁锅，焖面的时候没太注意，结果糊锅了。第二次吸取教训，改用了不粘锅，成功率简直就是百分之百！

② 大一些的孩子，如果能接受微辣的口感，可以在爆香葱蒜的时候加一两颗辣椒进去，辣乎乎的焖面会更香更好吃。

③ 用料不用太拘泥，可以根据孩子的口味适当调整，比如土豆可以换成豇豆。

台湾卤肉饭

小朋友最爱的一碗饭

工具　炒锅，砂锅。

材料　红葱头100 g，肉馅300 g，鸡蛋3个，西兰花、小番茄各少许。

调料　生抽，老抽，料酒，盐，胡椒粉，鸡精，五香粉，冰糖，姜片和蒜。香料：桂皮，八角，香叶，小茴香等（有什么用什么，少一两样也无妨）。

石小跳有一阵子不大爱吃肉，在家里总吃大白馒头、红薯杂粮什么的，那架势就像铁了心要减肥似的。可小人儿这细胳膊细腿儿的，哪里有肉经得住减啊！于是，我绞尽脑汁变着法儿做肉给他吃。经过数次试验证明，这孩子吧，就是爱吃甜口的！糖醋排骨、鱼香肉丝、京酱肉丝、老北京炸酱面……就算是甜面酱蘸黄瓜，他都吃得倍儿香！好吧！咱们对"症"下菜。

做法

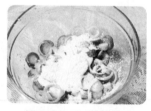

1 红葱头切掉两头，剥去外皮，洗净后切碎，加少许干淀粉，拌匀。

2 锅里油热后（油放宽点），放红葱头，半炸半炒。

3 炒至酥黄后，盛出，用吸油纸吸去多余油分。

4 香料冲洗后，用茶包包起。

5 锅烧热油后，放姜和蒜爆香，再放肉末翻炒均匀。

加开水

6 当肉末炒散并变白后，调入生抽、老抽、料酒、五香粉和盐。

7 炒匀后，加开水，水放多些，越卤越有味。

8 另取小锅，煮鸡蛋。

9 待步骤7中的水煮沸后，加入香料包和葱头酥，拌匀。

1.5小时

10 将肉连汤移至砂锅中，并将步骤8中煮熟的鸡蛋剥壳后放入，小火慢炖。炖到汤汁浓稠时加入冰糖、胡椒粉和鸡精，即可。汁不要收得太干，拌饭时需要有汤汁的。

11 大约1.5小时，一锅浓郁的炖肉就做好了。

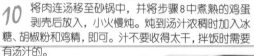

12 西兰花掰成小朵，与小番茄一起洗净，用盐水浸泡一会儿。

13 小奶锅中煮沸水，放入西兰花和小番茄汤焯一下捞出。

tips

嘴馋餐厅里的台湾卤肉饭吗？照这法子做，味道绝对差不离！别瞧着图片一大堆的，其实一点都不难！想想我也没啥好tips的……两小点：

1 任何时候炖红烧肉，都记着加水要加开水，这样肉的口感更软糯。

2 在砂锅里炖时，记得时不时搅和一下，否则容易糊锅。我第一次做，贪玩儿去了，锅底都糊成黑锅巴了，我就着这糊锅巴还猛吃了两大碗饭呢，嘻！

牛腩粉丝煲

雪天里的早餐

工具 砂锅。

材料 粉丝1把，鹌鹑蛋、青菜随意，枸杞1/4小勺。

调料 盐。

突如其来的一场大雪，让石小跳兴奋不已，今天早上起床比任何一天都要顺利得多，没有磨磨蹭蹭扭来扭去，迅速地穿好衣服，他就趴在窗台观雪景了。屋外雪花纷飞，屋内一碗热气腾腾的牛腩粉丝，幸福生活的最好诠释也不过如此了吧？石小跳快速地吃完早餐后，我们就出门了。小脚丫深一脚浅一脚地踩在松软的雪地上，因为害怕摔跤紧紧拽着我的手，小心地伸手捧了一堆雪，没一会儿就冻得哇哇大叫，哈哈！到了幼儿园后还舍不得进教室，绕道去操场玩儿，引得一楼教室里的孩子们纷纷在窗前围观，石小跳得意着咧！

做法

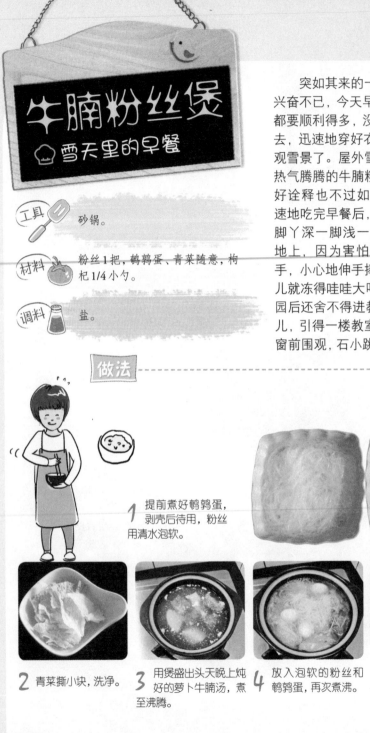

1 提前煮好鹌鹑蛋，剥壳后待用，粉丝用清水泡软。

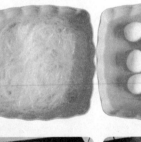

2～3分钟

2 青菜撕小块，洗净。

3 用煲盛出头天晚上炖好的萝卜牛腩汤，煮至沸腾。

4 放入泡软的粉丝和鹌鹑蛋，再次煮沸。

5 放入青菜和枸杞，调入少许盐继续煮2～3分钟即可。

tips

1. 枸杞要在出锅前几分钟再放，煮太久会破坏其营养成分。

2. 牛腩萝卜汤本来就是调好味的，所以只需要另外放点盐就够了。

3. 砂锅煲保温性能很好，吃的时候小心烫！

铜锣烧

🍳用平底锅煎出来的蛋糕

铜锣烧是日本的一种甜点小吃。相传在日本江户时代，将军武士以军中的铜锣相赠恩人，而恩人家境贫寒，拿铜锣当平底锅用来煎烤点心，没想到竟创造出绝世美味。点心的形状如铜锣，又以铜锣煎烤而成，故取名为"铜锣烧"。哆啦A梦最爱的食物就是铜锣烧了，吃着铜锣烧就变出好多稀奇古怪的玩意儿。如果你有机器猫，你最想它给你变出些什么呢？

工具 不粘平底锅。

材料 鸡蛋2个（带壳约120 g），白砂糖70 g，牛奶3大匙，蜂蜜2小匙，面粉90 g，无铝泡打粉1/2小匙，红豆沙适量。

做法

1 把蛋全部打入盆中，用电动搅拌器将蛋液搅打至出泡。

2 分三次加入白砂糖，搅打至蛋液发白，有很多细小的气泡且富有弹性，提起打蛋头后滴落的蛋糊数秒不消失。

3 分别加入牛奶与蜂蜜轻轻搅匀，注意不要把气泡都搅没了。

4 面粉与无铝泡打粉混合过筛之后加入蛋糊中。

5 用橡皮刀快速切拌均匀（左右与上下方向拨拌，不要用画圈的方式，以免出筋），覆盖保鲜膜，静置松弛半小时。

6 不粘平底锅加热（不放油），舀入1勺面糊，用中小火煎至面糊表面产生很多气泡后翻面再煎一会儿即可。煎好的饼皮正面是颜色均匀的咖啡色，背面是米黄色的。

7 饼皮放凉之后就可以夹上豆沙馅了。取两个大小相当的饼皮作为一组，在米黄色那面抹上红豆沙，再将两片饼皮叠起来，就是好吃的铜锣烧了。

其实铜锣烧的饼皮无论是配料还是口感都类似于蜂蜜蛋糕，只不过这个"蜂蜜蛋糕"是在平底锅上烤成的。做铜锣烧，拌面糊并不需要很多时间，关键是烤的时候得一张一张来，这是费时又费力的，需要极强的耐心。平底锅得是不粘锅的，切记！

电煲蛋花饭
🍳毫无准备的清晨

工具 电饭锅。

材料 米1小杯,腊肠1根,玉米粒30 g,豌豆30 g,香菇5朵,鸡蛋2个,小葱适量。

调料 食用油,生抽,老抽,盐,胡椒粉各适量。

周末休息,早上不用急忙忙地早起准备早餐,舒舒服服地睡了两个懒觉。可回归到周一时,总是会倒不过"时差",经常会因为起晚了而没太多时间做早餐。通常这个时候,我都会有几招快手系列,以应付周一忙乱的清晨。比如这电煲蛋花饭,起床后将米和所有食材倒进饭煲,趁着焖饭的空当再去拾掇拾掇,然后调配个料汁儿,一股脑儿倒进焖好的米饭中,马上就可以吃到热腾腾的早饭了。

做法

1 腊肠切丁,香菇切丁,葱切末。

2 大米淘洗干净,放与平时蒸饭相当的水。

3 将豌豆、玉米粒和腊肠丁一同倒入电饭锅中,开启电源选择煲饭程序。

4 鸡蛋打散成蛋液,待用。

5 将适量生抽、老抽、盐、胡椒粉和油混合,加少许清水调匀后待用。

6 米饭蒸好后,将料汁均匀地淋在米饭上,并迅速用勺子翻拌均匀。

我第一次做时，只用了一个鸡蛋，蛋液少，不够渗入到米饭中，所以米饭偏干且粒粒分明，但我自己比较喜欢柔软的口感。后来再做，我会用两个鸡蛋，每粒米饭都被蛋花包裹着，非常好吃。

5分钟

7 将打散的鸡蛋液均匀地淋在上面。

8 撒上葱花，盖上盖子继续焖5分钟即可。

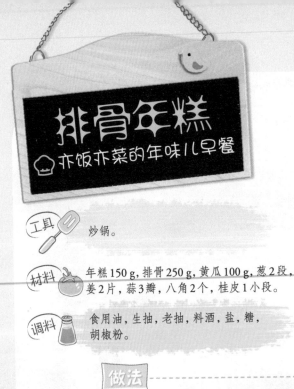

排骨年糕
亦饭亦菜的年味儿早餐

要过年了，咱们也红红火火一把！春节，有好多地方都要吃年糕，年糕又称"年年糕"，与"年年高"谐音，寓意着人们的工作和生活一年比一年提高。嗯！希望明年石小跳的身体棒棒，越长越高！排骨年糕，不仅仅是一道早餐，更是年饭餐桌上必不可少的一道吉利菜。

工具 炒锅。

材料 年糕150 g，排骨250 g，黄瓜100 g，葱2段，姜2片，蒜3瓣，八角2个，桂皮1小段。

调料 食用油，生抽，老抽，料酒，盐，糖，胡椒粉。

做法

1 年糕用凉水浸泡，待用。

2 葱、姜、蒜切片。

3 黄瓜切成与年糕近似的段，排骨斩段，洗净。

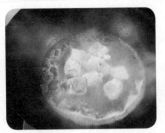

4 锅烧开水，焯烫排骨后冲洗干净待用。

5 锅烧热油，放葱、姜、蒜炒香。

如果早餐吃这个，但又不想起得太早，那么我们可以在头一天的晚上将排骨炖上，但汤汁不必收到浓稠。第二天早上起来，将排骨连汤汁一同煮沸后，放入年糕后再继续炖至浓稠，起锅前放入黄瓜条就完成了。这么一来，只需要15分钟就能享受美味的早餐！

6 放入排骨，翻炒变色后加生抽、老抽、料酒炒匀。

20分钟

7 倒入没过排骨的开水（水要给宽些），同时放入八角和桂皮。大火煮至沸腾后，转中小火，盖上锅盖，煮约20分钟。

10分钟

8 待汤汁收一半后，倒入年糕，继续炖煮10分钟左右，使汤汁变得浓稠。起锅前放入黄瓜条拌匀，撒些胡椒粉即可。

玉米窝窝头

忆苦思甜

工具 蒸锅。

材料 玉米粉75 g，糯米粉30 g，面粉30 g，奶粉20 g，牛奶40 g，白糖20 g，鸡蛋30 g，色拉油5 g，酵母1 g。

　　小时候，爸妈一说到忆苦思甜就提到窝窝头。我真不知道窝窝头究竟是怎样的味道，让他们觉得那么的艰辛。前年有一阵子，大街小巷风靡玉米馍馍，模样就像窝窝头。我这人就爱跟风，瞧着那么老长的队伍也跟着凑热闹，心想着就买两个尝尝，结果排了都快一个小时了才轮到我，耗这么长时间只买两个太不划算了，于是买了一大兜……等不及回到家，拿起一个就塞到嘴里，好家伙！就是加了色素和香精的馒头嘛！咳——这种事儿，我没少干！不提了……

　　今儿个的窝窝头，断然是比困难时期要好吃得多。吃着改良后的窝窝头，给孩子道道长辈们往日的生活，让他更加珍惜现在的美好生活吧！

做法

1 将除牛奶之外的所有食材放入盆中。

2 缓慢加入牛奶，并用筷子顺一个方向搅拌成絮状，然后用手揉成光滑的面团。

3 面团放在盆中，盖上保鲜膜，静置30分钟。

30分钟

4 用手取一小块面团，揉捏成圆锥状。

5 边揉捏边用大拇指在底部戳一个小孔。

6 依次处理好所有的面团，摆入垫了屉布的蒸锅中。

7 冷水上锅蒸，水沸上汽后继续蒸10分钟即可。

10分钟

tips

1. 不同的面粉吸水量也略有不同，所以牛奶不要一次性加入，慢慢地加并适时调整。

2. 放凉后的窝窝头非常硬，回锅再蒸一下就好了。

3. 因为面团中加了糯米粉，所以口感非常软糯，奶香味浓，好吃！

蛋香煎米饼

厌倦了炒饭怎么办？

工具 煎锅。

材料 剩米饭1碗，豌豆20 g，玉米粒20 g，火腿30 g，鸡蛋1个。

调料 食用油，盐，胡椒粉。

要说给孩子做饭，的确是件挺费神的事儿，我想幼儿园食堂的阿姨也一定如此觉得吧。一周5天，每天三餐两点，既要营养搭配，又得让孩子们吃得开心、胃口大开、好评如潮……每天石小跳放学回来，我都会询问他幼儿园当日的饮食情况，如果遇到炒饭，他都会跟我强调说"又"吃炒饭，并摆出一副很委屈的小模样。其实我知道，与蛋炒饭搭配的一定还有一道肉汤，或排骨汤或鸡汤，又或者是乳鸽汤等。小人儿其实是爱吃炒饭的，幼儿园里每次吃炒饭他必定是两大碗，既然喜欢又想追求一点点不同，那么改炒为煎吧！同样的食材不一样的做法，试试看。

做法

1 火腿切丁，玉米粒、豌豆洗净，鸡蛋敲入碗中打散。

2 将剩米饭和玉米粒、豌豆、火腿丁混合，倒入打散的鸡蛋液。

3 调入盐和胡椒粉拌匀，静置10分钟。

10 分钟

4 平底锅烧热油，用勺子将米饭放入，略压成饼状，煎至两面焦黄。

tips

1. 配菜里的豌豆，先用开水焯至断生，或者用黄瓜代替豌豆，就可以直接拌进米饭里了。

2. 牙口好的可以将米饭多煎一会儿，外层焦香的锅巴饭裹着被蛋液浸泡柔软的米饭，妙不可言。

3. 最好搭配一些新鲜的水果和蔬菜，以解煎米饼的油腻。

桂香红豆沙

吃花就能长得像花一样漂亮哩

咸宁市桂花镇是著名的中华桂花之乡，桂花品种繁多、质地优良，产量居全国之最，有"百年桂花王"之美称。前不久与三三家一同去咸宁玩时，带了一罐干桂花回来，虽然时隔几个月，但是仍然保持着浓郁的花香。用干花来烹饪食物，石小跳最初有些小小的抵触。他小脑袋瓜里琢磨着，花本该是用来看的，不是用来吃的呀。我逗他说："吃花就能长得像花儿一样漂亮哦！"没想到，小男生也是臭美的，一听说能长漂亮，就大口大口地吃下去了……突然想起我小时候，我妈说吃鸡翅膀会梳头，所以我一直坚定地认为，我能扎漂亮的辫子都是因为我爱吃鸡翅膀……哈哈！

工具 高压锅，汤锅。

材料 红豆 100 g，陈皮 3 片，小汤圆 50 g，干桂花 3 大勺。

调料 白砂糖适量。

做法

1 陈皮用清水冲洗干净，待用。

2 小时

2 红豆用清水浸泡2小时以上。

3 将红豆与陈皮一起放入高压锅中，放入足量的水，水沸上汽后再焖20分钟至红豆软烂。

20 分钟

4 将红豆连同汤汁一同倒入多功能榨汁机中搅拌成红豆沙。

5 将搅拌好的红豆沙倒入小汤锅中，另取一个汤锅煮些小汤圆，待小汤圆煮熟后将其倒入煮沸的红豆沙中，并调入适量的白砂糖，最后撒一些干桂花即可。

tips

1. 红豆比较难煮透，所以需要提前用水泡软一些。如果实在没有时间，也可以不泡，到时用高压锅多焖一会儿就可以了。

2. 干桂花是不含糖的，所以最后需要加些白砂糖调味。没有干桂花也可以用桂花糖代替，那就无需再另加糖了。

手工蛋卷

🍳 对孩子也要这么有耐心

工具 🥄 不粘平底锅。

材料 🍅 黄油60 g，白砂糖45 g，鸡蛋1个，蛋白1个，低粉45 g，盐1 g，香草精少许，黑芝麻1小勺。

您对孩子有耐心吗？我自己觉得，我真不是一个有耐心的好妈妈。我和石小跳就像俩孩子，较上劲儿了谁也不让步，都倔着。跳爸总说石小跳那倔脾气都是跟我学的，我也经常反省省自己，可脾气上来了，谁都拦不住我……唉！真够让人郁闷的！

这个手工蛋卷的方子，我捏在手上足足有一年的时间了。没事儿我就喜欢翻出来看看，从配方到做法我都能背出来了，可一直没下手。为什么？怕自己没耐心呗！可是，我深深地觉得，耐心是在生活中磨炼出来的，一个蛋卷都做不好，怎么育孩子？！今天……我就试试我的耐心指数到底有多高吧……

做法

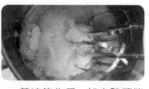

1 黄油软化后，加白砂糖拌匀，不用打发。

2 全蛋和蛋白混合，分3～4次加入用糖拌过的黄油中。如果出现油水分离的状况，没有关系，拌匀就可以了。

3 看图，我做的也油水分离了，淡定，继续。加入香草精，拌匀。

4 请石小跳同学帮忙筛入低粉，低粉与蛋糊拌匀就行了，不要过度搅拌。

30分钟

5 加入黑芝麻，拌匀。

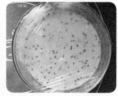

6 拌匀后的面糊盖上保鲜膜，静置30分钟。

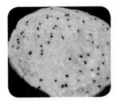

7 平底锅烧热后（无需抹油），舀1勺面糊放入中间，此时，A面朝下。当表面的面糊凝固成型后，用叉子挑起一角，观察底面，当底面煎至微黄后即翻面，继续小火煎。此时，B面朝下。

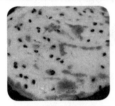

8 当两面都煎至微黄，且呈虎皮花纹后，再翻至A面朝下，用叉子和筷子协助，迅速卷起。（A面再次朝下时卷起，即A面作为卷起后的外层，因为A面上色比较均匀，所以卷起的蛋卷会好看些。）

9 卷好后，接合边朝下用叉子再轻压数秒定型，然后再移出来放入盘中，蛋卷非常酥脆，要小心轻放。

tips

1. 煎的时候一定要记得用小火——小火。

2. 翻面和卷起的时候，什么顺手用什么，筷子、叉子、刮板，或者手（小心烫！）。

3. 卷好第一个的时候，先试吃一下，后面煎的火候及摊饼的厚度就好把握一些了。不要着急，慢慢来，也许前面几个做不太好，多试几次就越来越好了！

盖浇紫薯面
花样面条

某日，QQ群里面一群女人们一直叽叽喳喳在讨论着团购面条机，手工做出五颜六色的面条的确很吸引人。心动不如马上行动，一个星期后，面条机到手了。于是大家都忙活着做各式各样的面条，苋菜汁做出粉红色的面条，南瓜泥做出橙色的面条，菠菜汁做出绿色的……那么紫色的呢？当然就是紫薯了！

工具　面条机，炒锅。

材料　面条材料：中筋面粉200 g，紫薯泥130 g，水20 g，盐2 g；盖浇料：丝瓜1条，鸡蛋2个，蒜1瓣，食用油、盐、胡椒粉、高汤（清水）各适量。

做法

1 紫薯洗净后置于蒸锅中，蒸熟蒸透。将蒸好的紫薯取出，去皮后压成泥，冷却待用。

2 紫薯泥、面粉、盐和水混合后用筷子拌成絮状。用手揉捏成团，没有揉光滑也没关系。

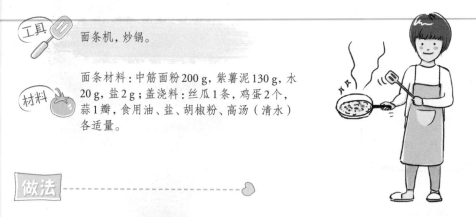

3 将面团整理成面片状，放入压面机的面片档，反复擀压，直至光滑。在光滑的面片拍上干粉，换到面条档，擀压成面条。在面条上撒上干粉防粘，分装冷冻起来，随吃随取。

4 鸡蛋打入碗中，加1小勺清水，打散。锅中烧热油，倒入鸡蛋液快速炒开，待金黄后盛出。

5 锅中留底油，爆香蒜片后将丝瓜倒入，略炒1分钟后加入适量高汤（清水）。

6 当丝瓜炒软后加入鸡蛋，调入盐和胡椒粉，盛出待用（如第5步中加入的是清水，则还需要加些生抽提鲜）。

7 另取一小汤锅盛清水，煮沸后加入紫薯面，再次煮开后关火，捞出面条后立刻过凉水，这样可以使面条更劲道。

8 锅中盛些高汤，煮沸后将过凉水后的紫薯面倒入，再次煮开后即可盛出，淋上丝瓜炒鸡蛋即可食用。

tips

1. 紫薯的含水量不同，和面时需要用的水量也会不一样，请酌情增减。

2. 冷冻后的面条取出后可以直接投入开水中煮，不需要解冻。

3. 如果用清水煮面条，步骤是：取一小汤锅盛清水，煮沸后加入紫薯面，煮开后加半碗凉水继续煮，再次煮开后关火，捞出面条后淋上浇头即可。

西红柿鸡蛋饺子
宝宝专属的素食饺子

工具 🍳 炒锅，汤锅。

材料 🍅 西红柿2个，鸡蛋3个，饺子皮儿半斤，26张。

调料 🧂 淀粉，盐，胡椒粉，白砂糖，食用油。

石小跳吃肉食吃得很精细，但凡有一点点肥肉或者肉筋他都要吐出来，所以只要遇上吃肉，他都会吃得非常仔细非常慢，很伤脑筋。为了丰富面食的品种，除了馒头包子煎饼，我还会经常包些饺子冷冻着，但肉馅饺子他吃得慢，我看着也累，索性给他包了全素的饺子——西红柿鸡蛋馅。没想到，小朋友一口一个的，一顿早餐下来起码能吃10来个呢。其实煮饺子作早餐，是我最喜欢的了，不慌不忙地起床，从冰箱冷冻室里拎出饺子煮上，太简单了！

做法

30秒钟

1 西红柿表皮轻划"十"字，放入沸水中焯30秒取出，此时划"十"字的部位已经裂开，沿裂口剥去外皮。

2 西红柿去皮后，挖出里面的软芯（做馅的时候，软芯会出水，不易包），软芯别丢掉浪费了，边挖边吃哈。

3 处理好后的西红柿切小丁。用纱布包起来，挤出水分。

4 西红柿丁中加少许白砂糖，提鲜，放一边待用。

5 鸡蛋打入碗中，加少许淀粉和盐，打散。加入淀粉后炒出来的鸡蛋更蓬松。

6 炒锅中倒油，烧至六成热时倒入鸡蛋液，迅速划散。炒成碎蛋花，盛出。

7 此时步骤4中的西红柿可能会因为加了糖再出些水，滗出汁水后与蛋花混合。调入盐和胡椒粉，拌匀。

8 将水饺皮抖开，包入适量西红柿鸡蛋馅。吃不完的饺子可以放入冰箱冷冻保存。

9 锅中水煮沸后，下入饺子，煮开后再添一次凉水，再次煮开后即可。

tips

1. 西红柿要买稍微硬些的，这样在制作过程就不会出太多水，容易操作。

2. 如果是自己擀面包饺了，可以将第3步中用纱布包裹西红柿丁挤出来的汁和面，这样的饺子还有淡淡的粉色，很漂亮呢。

3. 一般煮饺子都会添三次凉水煮沸，但西红柿饺子只要添一次就可以了，因为馅本来就是熟的嘛，我们只要把饺子皮煮熟就可以了。

豆沙锅饼
900万分的饼

工具 🍴 煎锅。

材料 🍅 中筋面粉100 g, 开水50 g, 冷水30 g, 红豆沙适量。

调料 🧂 食用油少许。

冰箱里还剩下半袋开了封的红豆沙,于是就给石小跳做了夹豆沙馅的锅饼。烫面做出来的面皮口感很筋道弹牙,里面夹着细软的红豆沙,外酥里嫩。石小跳吃掉一盘饼后,我问他:"这饼好吃吗?"他点头。我再问:"你给这饼打多少分呢?如果满分是100分?"小人儿想了想,伸出食指,示意我"9",我不甘示弱:"满分100啊!你才给打9分?!"石小跳立刻补充道:"是900万分!"哇噻!这也太给力了吧!这么高的评价,我只有更卖力地为他服务啦!

做法

1 开水用画圈的方式倒入面粉中,并用筷子不停地搅拌成絮状。

2 再加入冷水,用筷子拌匀成湿粘的面团,将其倒在案板上。

30 分钟

3 在撒了中筋面粉的案板上用手轻揉面团,成团后盖上保鲜膜,松弛30分钟。

4 将松弛好的面团分成两等份,用擀面棍擀成圆形的面片。

5 将面片移至平底锅中,小火干烙至定型后放入盘中。

6 在面片的中间均匀地抹上红豆沙,然后上下左右对折。

7 平底锅放油,将面饼放入锅中煎至两面金黄。

tips

烫面也称半烫面,是指先由开水加入面粉中,搅拌成絮状的小面团后,再用适量冷水调成软硬适中的面团,其面团具有很好的延展性,比较好塑形,适用于薄饼、馅饼或汤包蒸饺一类。但烫面的面团比较黏手,需要耐心地轻轻搓揉至成团,切不可随意增加水量。在操作的时候,案板和手上都拍些手粉,也可以用刮板辅助。

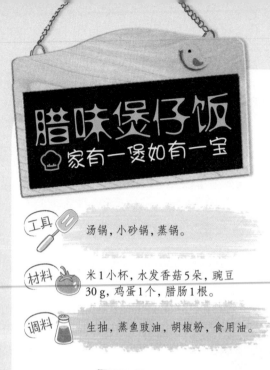

腊味煲仔饭
家有一煲如有一宝

 工具 汤锅，小砂锅，蒸锅。

材料 米1小杯，水发香菇5朵，豌豆30g，鸡蛋1个，腊肠1根。

调料 生抽，蒸鱼豉油，胡椒粉，食用油。

这个小砂锅是年前在批发市场淘回来的。这之后，它在我家的出场率是相当高啊！煲汤粉、砂锅粥、炖肉……而我买它回来的初衷，是为了做跳爸最爱的煲仔饭，锅底脆香的锅巴饭，嚼在嘴里满口留香。每次我们去餐厅吃便餐时，煲仔饭都是跳爸必点的食物，一锅饭，他们爷俩总是抢着吃。还真是爷俩啊，连口味都一个样！

做法

1 大米洗净，放在砂锅中浸泡1个小时。

2 干香菇提前用水泡发。

3 豌豆洗净待用。

4 准备蒸锅，蒸格下放1只鸡蛋，蒸格上蒸腊肠1根，腊肠蒸熟后切片，鸡蛋剥壳切片待用。

5 将泡发的香菇切片，待用。

6 取一只小汤锅，将豌豆煮熟后过凉水、沥干待用。

7 用适量生抽、蒸鱼豉油、胡椒粉加凉水调成汁，待用。

15 分钟

10 分钟

8 煲内的大米加适量水后，置于炉上，盖上盖子中火煮。

9 水沸后，加少许食用油，并用勺子搅拌均匀。盖上盖子，小火煲15分钟左右。

10 当水收得差不多干了后，揭开锅盖，由锅边淋入一圈食用油（不喜欢底部的锅巴就省略这一步）。

11 接着将鸡蛋、腊肠、香菇和豌豆摆入锅中，淋入之前调好的汁水，盖上锅盖小火焖10分钟即可。

tips

生抽与蒸鱼豉油都带盐味，而且腊肠本身也是咸的，所以不需要另外加盐。鸡蛋可以放白煮蛋，也可以在第11步时，磕一个鸡蛋在米饭的表面，再经过10分钟的小火焖烧，鸡蛋就能熟了。如果是做排骨煲仔饭，排骨需要提前烧熟，淋在煲仔饭里的调料汁用烧排骨的汤汁就即可，不需另外调配。

糯米鸡翅
平民糯米的华丽变身

工具 蒸锅,烤箱或煎锅。

材料 鸡翅(要买3节的那种,包括翅根,翅中和翅尖)5个,糯米100 g,水发香菇5朵。

调料 老抽,生抽,料酒,盐,胡椒粉,糖各适量。

在我们这儿,有道早餐小点,叫"糯米鸡"。很多人一听这名儿,就觉得一定和鸡肉有关系,可是,还真没有!与鸡肉一丁点儿都不沾边。但今天我们做个真与鸡肉有关系的糯米鸡翅,既可以当早餐,也可以在宴客的时候作为一道热菜。如果有像石小跳这样喜欢糯米食物的小朋友,一定会喜欢吃的。但是,糯米吃多了不容易消化,适可而止哦。

做法

1 准备好用的尖头剪刀1把。

2 由翅根开始,剪断连接在骨头上的筋。

3 剪断筋后,剥离鸡肉,完整的骨头渐渐露出。剥到翅根骨的末端后,再次剪短筋络。

4 第一节翅根的骨头被剔除。

5 同样的,骨头末梢端都会有筋相连,剪断筋后剥离鸡肉。

6 第二节翅中的细骨头被剔除。

7 剪掉翅中粗节骨头的末端筋后去骨。

8 保留翅尖的骨头。

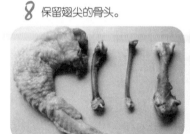

5
小时

9 糯米洗净后浸泡5个小时以上，喜欢软糯口感的可增加浸泡时间。

2
小时

10 水发香菇，用水泡发。

11 去骨后的鸡翅用老抽、生抽、料酒、盐、胡椒粉、糖腌制2小时以上。

40
分钟

12 泡发后的香菇切成小丁，糯米和香菇丁拌匀，加适量盐和料酒调味。

13 将拌好的糯米馅用小勺灌进鸡翅中，7分满即可，用牙签封口。

14 取蒸锅，放入糯米鸡翅，水沸上汽后，蒸40分钟。

15
分钟

15 蒸好后的鸡翅摆入烤盘中，将腌鸡翅剩余的调料刷在表层。

16 烤箱预热至180℃，中层，烤制15分钟后取出切块食用。

tips

　　糯米浸泡的时间越长，就越容易蒸得软糯。这次我只泡了2个小时，所以米饭粒粒分明。将糯米灌入鸡翅中时一定不要塞得太满，蒸熟后的糯米是会膨胀的，灌太满就会撑破鸡翅，一般灌个7分满就行了。如果家里没有烤箱，可在鸡翅蒸好后，切成片，然后在锅中略煎一下。当然，不用烤或煎也可以吃，根据个人喜好选择吧。

　　哦，对了，去下来的鸡骨头可别就这么扔了，攒下来，下次再加个鸡架煲锅鸡汤，那无与伦比的高汤不就有了么？

养生黑糊糊

🍳 为孩子学习食疗

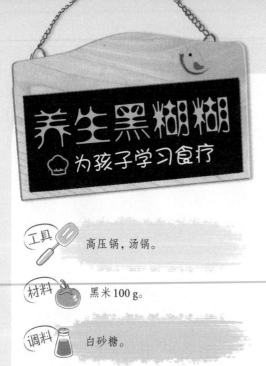

工具　高压锅，汤锅。

材料　黑米 100 g。

调料　白砂糖。

　　每位妈妈养育孩子必定有一段时光是令她刻骨铭心的，我就是。石小跳从小体质就偏弱，一岁八个月开始，我慕名带着他去看老中医，一看就是两年多的时间。每次就诊，老中医只给开七副中药，所以，每周去一次，是必须的。老中医的"粉丝"众多，且每天限号30位，为了挂到号，我基本上每次都是凌晨一两点去挂号，有时候甚至是头一天的晚上九点就得去。不知有多少个夜晚，我都是在挂号大厅的凉板凳上度过的……人说，三分治七分养，光指望中药调理是远远不行的，这之后，我学习食疗养生，渐渐开始从饮食上照顾孩子。黑米糊便是我学习的第一道，石小跳非常爱吃，并亲切地称呼它为"黑糊糊"。

做法

1 黑米洗净后，用清水浸泡过夜。

2 放入高压锅中，加入足量的水，上汽后再压20分钟。

20分钟

3 黑米冷却后，倒入榨汁机中，将其搅拌成米糊状。

4 将米糊倒入小汤锅中，煮沸后加些白砂糖调味，再放些干果麦片的食物同食。

tips

黑米本身就是微甜的，小朋友非常喜欢。如果喜欢Q口感，也可以不将黑米搅拌得太碎。在黑米糊里加些烤过的核桃松仁等干果，口感更佳，营养美味双丰收！

海鲜焗饭
石小跳的"比萨饭"

🍴 **工具** 炒锅,烤箱。

🍅 **材料** 虾5只,蟹柳20 g,黄瓜20 g,干贝20 g,洋葱20 g。

🧂 **调料** 食用油,蚝油,生抽,盐,胡椒粉,马苏里拉奶酪。

早餐端出来的时候,小跳问我:这是什么?我让他自己尝尝看。结果小人儿一尝便说:"比萨饭!面上这个跟比萨是一样的味道,我最喜欢啦!"嘿!跳跳的味蕾已经有记忆了!他小的时候并不爱吃比萨,每次吃都会将比萨饼上的食物和奶酪扒拉得干干净净,然后捧着一张大饼吃得津津有味。他随着年纪的增长,吃的品种丰富起来,口味也放开了许多。这样好啊,我就可以大展拳脚地为孩子露一手啦!当孩子在餐厅觅食时,边吃边一脸不屑地说:"还没我妈妈做得好吃——"哇!那该有多美啊!……以上纯属我的幻想……也是我努力的最终目标!

做法

1 鲜虾拨壳,抽去虾线后切成小块。干贝用白兰地酒或水泡软。洋葱、黄瓜和蟹柳切小块。

2 锅烧热油,下洋葱粒炒香。

3 放入米饭炒散后,再放入虾仁、蟹柳、干贝翻炒均匀。接着加入蚝油、生抽和少许盐调味。

4 最后加入黄瓜丁,并加胡椒粉炒匀即可。

5 将米饭盛入烤碗中,米饭表面铺上马苏里拉奶酪。烤箱预热至200℃,中层,烤至马苏里拉奶酪熔化即可。

马苏里拉奶酪是做比萨的首选奶酪，烤制之后，马苏里拉奶酪会变得相当黏稠，能拉出很多的丝，用别的奶酪就没有这种拉丝的效果了。如果实在买不到也可以用普通的片状奶酪替代。

蛋包饭
番茄酱是点睛之笔

工具 炒锅，煎锅。

材料 剩米饭1碗，火腿30 g，黄瓜30 g。

调料 食用油，生抽，盐，胡椒粉，番茄酱。

周末两天带着孩子去近郊小游了一把。平时工作繁忙，孩子放寒暑假大多都是由奶奶带着，或者上些暑期班。很想带着他四处游走开阔眼界，可是，当我们有时间的时候，各大旅游胜地也都被挤得爆满。无奈，只有偶尔在周末时带着孩子出去玩玩。可在武汉，适合户外游玩的气候实在是不多，冬天刚一过完，没几天就到高温的盛夏了，得抓紧时间在短暂的春天逍遥游。出游前吃点啥呢？蛋包饭吧！蛋包饭的点睛之笔就是淋在表面的番茄酱，咬上一口，QQ的米饭，喷香的蛋皮，脆爽的黄瓜，还有酸甜适中的番茄酱，将所有味道提炼到极致……

做法

1 火腿和黄瓜都切成大小均等的小丁。

2 油热后，依次放入火腿丁和黄瓜丁，调入生抽、盐和胡椒粉后起锅。

3 鸡蛋液打散后加少许盐调匀。

4 煎锅烧热油后，将蛋液均匀地平摊在锅中，中小火煎至底面金黄。

5 当表面的蛋液稍微凝固后，将炒好的米饭放在蛋皮中央。

6 上下左右对折包起米饭。

7 翻面后再略煎一下盛出，表面淋些番茄酱即可。

tips

煎蛋皮的时候，如果鸡蛋液的量不够，那么煎出来的蛋皮会很薄不太好包饭，如果担心蛋皮不够坚韧，可以在蛋液中加少许淀粉再烹饪。另外，将米饭盛到蛋皮中央时，一定不要放太多了，米饭太多蛋皮就会被撑破，当然不影响吃，只是有点不漂亮了哈。

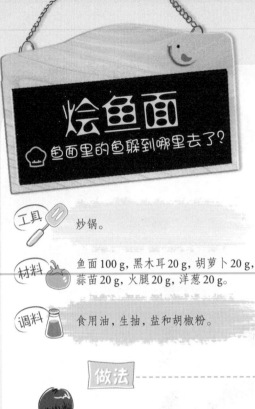

烩鱼面

鱼面里的鱼躲到哪里去了?

每逢过年,跳爷爷必定会准备一盒鱼面在家里。鱼面是湖北新洲的特产,又称"捶鱼",其制作过程如下:选取鲜活的鲢鱼、草鱼,刮鳞去皮,剔刺,取其肉,捣成鱼浆,加入淀粉或精面粉,然后加盐和食用油,反复糅合,直至成为白色并富有韧性的面团,接着再用擀杖使劲将面团擀成薄饼,卷成筒状,放在蒸锅里蒸熟,摊凉后切片晒干储存。所以面条中鱼味相当浓郁,石小跳经常会纳闷:鱼面里的鱼躲到哪里去了?

工具 炒锅。

材料 鱼面100 g,黑木耳20 g,胡萝卜20 g,蒜苗20 g,火腿20 g,洋葱20 g。

调料 食用油,生抽,盐和胡椒粉。

做法

1 干鱼面用温水浸泡过夜。

2 准备黑木耳、胡萝卜、蒜苗、火腿、洋葱,切丝待用。

3 油烧热后炒香洋葱丝。依次放入蒜苗丝、火腿丝翻炒。

4 放入鱼面炒散,加些高汤(或清水),放胡萝卜丝和黑木耳丝,调入生抽、盐和胡椒粉即可。

tips

1. 蒜苗要先放入，炒软后再放其他配菜。

2. 鱼面的做法有很多种，比较常用的就是与排骨汤或鸡汤同煨，无论是煨是炒，口感都一样柔和，食时若鱼，但又不闻鱼腥；若面香，但又毫无麦青气，称得上是荤素兼备，鲜香爽口的美食佳肴。

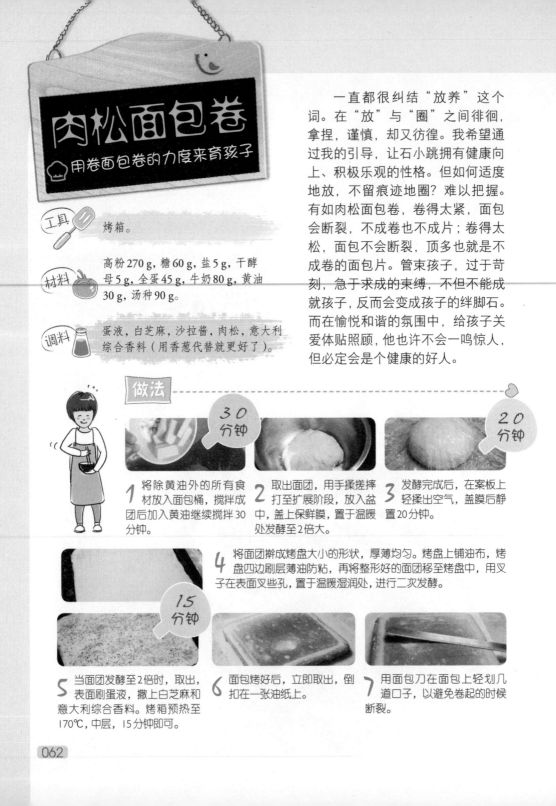

肉松面包卷

用卷面包卷的力度来育孩子

工具 烤箱。

材料 高粉270 g，糖60 g，盐5 g，干酵母5 g，全蛋45 g，牛奶80 g，黄油30 g，汤种90 g。

调料 蛋液，白芝麻，沙拉酱，肉松，意大利综合香料（用香葱代替就更好了）。

一直都很纠结"放养"这个词。在"放"与"圈"之间徘徊，拿捏，谨慎，却又彷徨。我希望通过我的引导，让石小跳拥有健康向上、积极乐观的性格。但如何适度地放，不留痕迹地圈？难以把握。有如肉松面包卷，卷得太紧，面包会断裂，不成卷也不成片；卷得太松，面包不会断裂，顶多也就是不成卷的面包片。管束孩子，过于苛刻，急于求成的束缚，不但不能成就孩子，反而会变成孩子的绊脚石。而在愉悦和谐的氛围中，给孩子关爱体贴照顾，他也许不会一鸣惊人，但必定会是个健康的好人。

做法

30分钟

1 将除黄油外的所有食材放入面包桶，搅拌成团后加入黄油继续搅拌30分钟。

2 取出面团，用手揉搓摔打至扩展阶段，放入盆中，盖上保鲜膜，置于温暖处发酵至2倍大。

20分钟

3 发酵完成后，在案板上轻揉出空气，盖膜后静置20分钟。

4 将面团擀成烤盘大小的形状，厚薄均匀。烤盘上铺油布，烤盘四边刷层薄油防粘，再将整形好的面团移至烤盘中，用叉子在表面叉些孔，置于温暖湿润处，进行二次发酵。

15分钟

5 当面团发酵至2倍时，取出，表面刷蛋液，撒上白芝麻和意大利综合香料。烤箱预热至170℃，中层，15分钟即可。

6 面包烤好后，立即取出，倒扣在一张油纸上。

7 用面包刀在面包上轻划几道口子，以避免卷起的时候断裂。

8 抹上沙拉酱，均匀地撒些肉松。

9 利用擀面棍，像卷蛋糕卷一样卷起，并用油纸包裹住定型一下。

10 揭去油纸，切成段。

11 切面抹上沙拉酱，蘸上肉松，即可。

tips

汤种是指将面粉加水加热后，使其糊化，此糊化的面糊称为汤种。汤种面包因为淀粉糊化使得吸水量增多，因此加了汤种的面包的组织柔软，具有弹性，并可以延缓老化。汤种的制作方法为：20g高粉加100g水在小奶锅中混合后用小火加热，边加热边搅拌至浓稠状，放凉后即可。

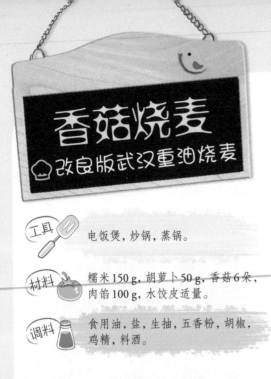

香菇烧麦
改良版武汉重油烧麦

工具 电饭煲，炒锅，蒸锅。

材料 糯米150g，胡萝卜50g，香菇6朵，肉馅100g，水饺皮适量。

调料 食用油，盐，生抽，五香粉，胡椒，鸡精，料酒。

武汉的重油烧麦，大多都是由猪油拌的馅，不仅重油，而且还重胡椒，糯米馅里还藏匿着大块大块的肉……我常常等不及冷却，端上一碗就急匆匆地塞进嘴里，含在口里后，又被烫得舌尖直弹，绵软的糯米在唇齿间化开，间或有一粒饱满的瘦肉，细嚼，咽下……浓烈的胡椒味在喉间弥漫开来，全身顿时就暖和起来……每当我如此享受这样的早餐时，石小跳都会非常郁闷。他爱糯食，可是烧麦里呛喉的胡椒味使他望而却步。于是，我琢磨了琢磨，改良成了这个更适合小朋友的香菇烧麦。

做法

1 糯米浸泡1小时后，糯米和水按1:1.5的比例兑好，用电饭煲蒸饭程序蒸熟。

2 水发香菇泡好后切丁，胡萝卜切丁，同时在肉馅中加适量料酒、生抽调味。

3 油热后，放入肉馅，快速拨散，肉变色后，放入蒸熟的糯米饭、胡萝卜丁和香菇丁，炒匀。

4 放入盐、生抽、五香粉、胡椒、鸡精调味，加少许卤水（或清水）使糯米饭更绵软。拌好味的糯米饭盛出，冷却后待用。

5 水饺皮放案板上，撒些手粉后，用擀面棍略擀薄一些。擀的时候顺着边儿擀，皮的边缘即会成荷叶状微微卷起。

6 在面皮中央放上糯米饭，收拢，中间不要捏紧，留点小开口露出里面的馅料。

7 蒸锅烧开水后，上屉蒸约10分钟，中途揭开盖子，用喷壶喷洒一遍清水，以保持面皮湿润，口感更佳。

10分钟

tips

如果有时间，不妨多包一些放在冰箱里冷冻保存。再吃的时候，不需要解冻，直接放在蒸锅中蒸蒸就行了。吃腻了蒸烧麦，也可以用煎饺的方法来煎烧麦，也非常好吃。

金枪鱼越式春卷

🍳 陪读妈妈玩转厨房

🍴工具　汤锅。

🍅材料　金枪鱼50 g，圣女果5个，玉米粒 30 g，生菜3片，越南春卷皮6张。

🧂调料　沙拉酱少许。

做法

1 准备材料。

2 越南春卷皮用凉水 泡软。

3 玉米粒洗净后放入开水 中氽烫1分钟，然后过 凉水待用。

4 将生菜撕成小块，圣 女果切成小段，与玉 米粒、金枪鱼混合在一个 碗中。

5 调入适量沙拉酱拌匀， 用泡软的越南春卷皮卷 起来食用。

学习得从娃娃抓起——以前我最最不待见这观点了。孩子的童年就该是撒了欢的疯玩，而学习是件水到渠成的事情，拔苗助长只会适得其反。所以，石小跳相比班上的其他小朋友，是最快乐的。不用上英语课、围棋课、钢琴课、绘画课……他要做的，就是玩。可是，幼儿园老师的家访，大大颠覆了我的美好想法。老师说：您的想法是美好的，但不大符合当下社会的实情。如果不在入学前让孩子掌握20以内的加减法以及汉语拼音的认读写，将来上了小学后，根本就跟不上。也许老师真不是危言耸听，我不求他能够学出多大的造化，但最起码，不能在刚入学时就因为遭遇"跟不上"而挫败、灰心。所以，老师家访后，我每天都会花至少半个小时的时间来陪着石小跳做一些简单的认读写，提前进入了陪读阶段，属于厨房的时间当然会锐减。所以，在讨好孩子味觉和提高烹饪效率兼得的情况下，我在不断努力尝试。越式春卷，简单易操作，再搭配一杯热饮，即使是忙碌得一团糟的清晨也能得心应手，妈妈们可以试试。

葱油饼

最家常的早餐饼

工具：煎锅。

材料：中筋面粉125 g，开水75 g，冷水30 g，葱花少许。

调料：食用油，盐。

上大学的时候，学校后门有个卖葱油饼的小贩，生意非常好。5毛钱一张，饼煎得焦脆可口，里面冷不丁地还夹了些碎肉末，香啊——每次打那儿过，不管饿没饿，我都会买张饼解解馋。后来学校后门改造，那小摊也不见了踪影。好些年过去了，如今我拖着石小跳逛菜市场，他也会垂涎菜市场门口各式各样的千层饼、葱油饼和鸡蛋饼……跟当年的我一样，其实根本就不饿，就是嘴巴馋，非得要吃。于是娘儿俩一人一张饼，吃得无比满足！今儿的葱油饼，石小跳一次能吃两张，大胃口嘿！

做法

1 如豆沙饼的烫面做法，揉好面团，面团表面抹油后盖保鲜膜松弛30分钟。

2 将松弛好的面团分成2等份，按扁后用擀面棍擀成长条状。

3 用手在面皮表面抹层油，然后铺上葱花，并撒少许盐。

4 将面皮卷成筒状。

5 然后绕成螺旋状，盖上保鲜膜松弛15分钟。

6 用手将面团压平，抻开，再用擀面棍擀得均匀些。

7 煎锅中放少许油，烧热后，将饼放入煎至两面金黄即可。

tips

1. 如果时间充裕，第1步中的松弛可以延长至1小时，这样面团会更好整形。

2. 抹油后的面团不粘手，所以整形的时候不需要撒手粉，记得在面板擀面棍上也抹些油。

3. 以上是两张饼的用量，如果要多做些将配方翻倍即可。

温泉玉子猪肉饭
老高级的蒸水蛋拌饭

工具　蒸锅。

材料　土鸡蛋3个，肉馅30g，芹菜末10g，米饭50g，清水2勺。

调料　生抽，盐，胡椒粉，料酒。

温泉玉子也叫温泉鸡蛋，来源于日本，是将鸡蛋放入温泉水中片刻，再取出来剥壳，鸡蛋嫩滑无比，类似于我们所说的溏心蛋。在家中烹饪，没有温泉水，改用蒸锅以营造同样的效果，虽说会有差别，但好吃就是王道。其实说到底，这个饭的原理有些像汽水肉蒸蛋拌饭，只不过是换了个形式，多点噱头罢了，孩子喜欢就好。被蛋液浸泡的米饭蛋香浓郁，脆爽的芹菜末透着春天的味道，埋在米饭中的肉馅为美好的清晨充电加油。

做法

15 分钟

1　2个土鸡蛋（或1个洋鸡蛋）打散后，加入清水、生抽和盐搅打均匀，待用。

2　肉馅中加盐、料酒和胡椒粉腌制15分钟。

3　芹菜切成末，待用。

4　在碗中平铺一层熟米饭，接着铺一层肉馅。

5　肉馅上再铺一层米饭。

6　撒一层芹菜末。

5 分钟

7-8 分钟

7 将调好味的蛋液淋在米饭上。

8 蒸锅中的水沸后, 转小火, 将碗放入蒸锅中蒸约5分钟。

9 5分钟后再在表面敲入一个鸡蛋, 盖上锅盖续蒸7～8分钟, 观察表面的鸡蛋凝固即可。

tips

1. 在第1步中给鸡蛋液调味时, 盐要比蒸水蛋时稍微多放一点点, 因为和米饭混合在一起, 就靠蛋液来提味了。

2. 最后敲入一个整鸡蛋后蒸制的时间依个人喜好调整, 不大喜欢溏心蛋黄的时间就稍微延长点, 反之喜欢嫩鸡蛋的时间就相应缩短。

3. 这一顿的分量正好够一个大些的孩子吃, 米饭多则鸡蛋、肉馅等相应加量。

鳝鱼羹面
一碗很有料的面

工具 炒锅，汤锅。

材料 鳝鱼2条，胡萝卜30 g，葱1段，蒜3瓣，生面100 g。

调料 高汤，食用油，生抽，老抽，料酒，盐，胡椒粉，水淀粉。

家常的面条无外乎清汤面、肉丝面或者鸡蛋面，做起来方便快捷，是非常常见的早餐选择，但偶尔我也翻新一下。昨天的晚餐有鳝鱼，留下两条为今天的早餐添点色。鳝鱼的肉质鲜美，全身只有一条三棱刺，而且补气养血，是营养价值非常高的食材。用鳝鱼来煮面，不仅味美而且补身，相当有料哦！

做法

 1 准备食材：鳝鱼切段，胡萝卜和葱切丝，葱白和蒜切片。

 2 油热后，放入葱蒜炒香。

3 放入鳝鱼并调入料酒和老抽，炒至鳝鱼变色。

 4 倒入足量的高汤，没有高汤就用清水代替。

 5 煮沸后倒入胡萝卜丝同煮，调入适量生抽和胡椒粉。

6 胡萝卜丝煮熟后倒入适量水淀粉，汤汁煮稠后放入葱丝即可关火。

 7 另取一个汤锅，加清水煮沸后放入生面煮熟捞出，盛入汤碗中，淋上鳝鱼羹即可。

孜然粒粒香

剩馒头华丽丽的变身!

工具 炒锅。

材料 大馒头1个，鸡蛋1个，葱花1勺。

调料 孜然粉，白芝麻，粗孜然，食用油，盐，白砂糖。

馒头一直是我家不间断的主食。石小跳爱吃馒头，甚至可以把馒头当零食吃，有事儿没事儿就掰一块，慢慢撕慢慢嚼。他没觉得厌，我倒是看厌了。于是，决定把馒头换个吃法，没想到，变身后的馒头得到了石小跳极大的认可。

做法

1 馒头切成丁状，将鸡蛋打散后倒入馒头丁中，拌匀后，静置15分钟。

2 炒锅中放入少许食用油，将馒头丁放入，小火煎至两面金黄。

3 加入孜然粉，调入适量盐，翻炒均匀。

4 依次加入白芝麻和粗孜然，炒匀，再加少许白砂糖提味。

5 最后撒入葱花，略炒片刻即可。

tips

1. 加入蛋液后的馒头丁静置15分钟，是为了使馒头吸足蛋液，这样煎出来的馒头丁外酥里嫩的，口感非常好。

2. 孜然粉各有不同，有的含盐，有的不含盐，在烹饪的时候根据实际情况来调整盐量，或者可以不放。

奶油烤馒头
剩馒头华丽丽的变身 2

工具　　烤箱。

材料　　小馒头5个，黄油30 g，海苔少许。

还是剩馒头，接着来变。

做法

1 馒头蒸热，黄油切片。

2 将黄油片覆盖在馒头上。

3 放在铺了油纸的烤盘中，烤箱预热至200℃，中层，烤约10分钟至黄油熔化表面焦黄。

10分钟

剩馒头的吃法有很多种，除了烤或者炒之外，我们还能把馒头揪成小块放在热汤中泡着吃，或者将馒头切片后放入煎锅中煎至两面金黄……花一点点心思，便能给孩子不一样的惊喜，何乐而不为呢？

鱼香意大利面

化繁为简，人人都能做 "最牛早餐"

工具 汤锅，炒锅。

材料 猪肉 50 g，黑木耳 20 g，胡萝卜 20 g，意大利面 100 g，葱姜蒜各 5 g。

调料 食用油，郫县豆瓣，生抽，老抽，醋，糖，盐，胡椒粉，淀粉。

　　每天亲手为孩子做早餐其实不难，只要合理利用时间，化繁为简。当然，我们不能从清晨睁开眼睛的一刹那才开始计划吃什么，提前计划好，才能得心应手。头天晚上想好，将洗洗切切的准备做好，早上起床后起锅，或炒或煮或蒸，不需要太多时间就能做好了。以今天的鱼香意大利面为例，先从昨天晚上的准备开始说起……

做法

1 头天晚上将黑木耳用清水泡着，胡萝卜切丝，葱切丝，姜蒜切片，猪肉切丝。

10 分钟

2 清早起来后，先在小汤锅中煮沸水，加入少许油和盐后放入意大利面，按包装说明的时间烹制，一般 10 分钟左右。

10 分钟

3 煮面的同时，在猪肉丝中调入适量油、盐、生抽和淀粉腌制 10 分钟，将泡发后的黑木耳切丝。另外再调配料汁：将盐、生抽、老抽、醋、糖、淀粉和清水调匀即可。做完这些后，意大利面差不多已经煮好，捞出沥干水分。再将锅烧热油，放入腌好的猪肉丝爆熟后盛出。

4 锅中留底油，放入姜蒜炒香，接着放入郫县豆瓣煸炒片刻。

5 倒入意大利面翻炒均匀。

6 将胡萝卜丝和黑木耳丝倒入炒匀。

7 倒入爆炒后的猪肉丝翻炒均匀。

8 将调好的料汁倒入，大火收汁。

9 待汤汁收得浓稠后，放入葱丝，调入适量胡椒粉即可出锅。

tips

关于中餐烹饪时使用的调料用量，我认为没有一个完全严苛的标准。每个人的口味都不尽相同，喜欢辣的可以多放辣椒，喜欢清淡的各种调料用量都要少用，喜欢酸甜口感的要舍得放糖和醋……老抽在烹饪中起到上色的作用，生抽本身就能提鲜，所以用到生抽就避免再用鸡精或老味精了。

培根芝士蛋堡

广告里的叔叔为什么不刷牙?

工具 煎锅。

材料 餐包2个,鸡蛋2个,培根2片,黄瓜8片,奶酪2片。

调料 食用油

某快餐的早餐广告里,男主角一边穿衣服一边煎培根、鸡蛋,衣服穿好了,汉堡也做好了,然后拿上公文包很潇洒地捧上汉堡就出门了。每次石小跳看到这个广告都会问我:"妈妈,为什么那个叔叔不刷牙就吃早餐了?"是啊,虽然早上的时间很宝贵,咱也不能不刷牙就吃早餐啊!不过,这培根芝士蛋堡,真的很速成,的确是穿件衣服的功夫就能做好了。不信你就试试看!

做法

1 准备食材。培根对切成两片,黄瓜切片,餐包对半横切开。

2 锅中抹一层薄薄的底油,放入培根,敲入鸡蛋,煎熟。

3 半片餐包上摆培根、鸡蛋、奶酪片和黄瓜。

4 合上另一半餐包即可。

1. 除了培根外，也可以用火腿片，或者是鸡肉、鱼肉、肉松等，想吃什么就放什么。

2. 蔬菜部分的选择也很多，例如生菜、紫甘蓝、卷心菜、西红柿等。

红豆银耳羹

不太好看但超级好吃

工具 汤锅。

材料 红豆100 g，银耳30 g，莲子50 g，百合10 g。

调料 白砂糖或冰糖。

这一碗汤羹遭到了石小跳的批评，说黑乎乎的，好难看。可是，我就是为了将银耳的胶质完全煮出，特意煮得浓浓稠稠的。劝他怎么着也尝一口再评定，嗯……最终，虽然在色泽上没有什么优势，但味道却彻底把小人儿征服了。甘甜的红豆沙，入口即化的银耳，一口下去，五脏六腑瞬间被软化，不仅好吃，而且滋润养颜。家有小美女的妈妈们一定要多给宝宝喝这样的美人糖水哦。

做法

2 小时

5 分钟

1 银耳用温水泡软，红豆与百合一起用冷水浸泡2个小时以上。

2 红豆和莲子一同放入汤锅中，加足量的水大火煮开后转小火慢炖。

3 当红豆煮熟后加入银耳，小火继续炖煮。

4 当银耳的胶质煮出，汤羹变得浓稠时关火。调入适量白砂糖或冰糖，拌匀即可。

tips

1. 除了使用汤锅外，还可以用电砂锅，选择"慢炖"的程序煲一夜，早上起来直接就能吃了。

2. 或者早上起来，将所有食材倒入高压锅中，上汽后再压个20分钟即可，都是很速成的方法。

茄汁蛋花拌饭

武汉过早"烫饭"

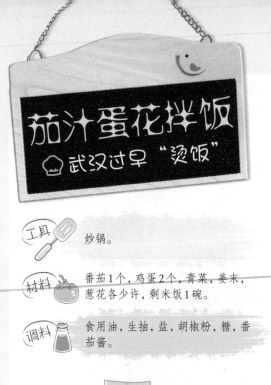

工具 炒锅。

材料 番茄1个，鸡蛋2个，青菜，姜末，葱花各少许，剩米饭1碗。

调料 食用油，生抽，盐，胡椒粉，糖，番茄酱。

在武汉，人们管吃早餐叫"过早"，边走边吃，忙忙碌碌地过早。"烫饭"，应该解释为汤饭比较合适，是武汉人家里最家常的早餐了。做法是将剩米饭和头天晚上的剩菜混在一起，加点水，煮开再收收汁即可。米饭被菜汤浸着，很有味道。我读书那会儿，闺蜜婷的拿手绝活就是用番茄鸡蛋来煮"烫饭"。假期里我们俩就猫在家里，她掌勺煮一大锅，我们一人捧一个大碗，用最大的勺子舀着吃，美味啊！而且那时候不兴减肥，也不讲究身材，多美好的豆蔻年华啊！今天，我们与时俱进，给这个"烫饭"起个好听的名字——茄汁蛋花拌饭！

做法

1 番茄洗净切小块，鸡蛋打散，备用，青菜切碎。

2 油热后，倒入打散的鸡蛋液，划散炒熟后盛起。

3 锅中留底油，放姜末炒香，倒入番茄，炒软出汁后，加清水没过番茄。

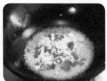

4 水开后，倒入剩米饭，若水少了，加些水，以没过所有食材为宜。

5 米饭煮软后，调入适量番茄酱，倒入炒熟的鸡蛋，翻炒均匀。加入适量盐、生抽、胡椒粉及少许糖调味。

6 撒入青菜碎和葱花，当汤汁收到浓稠时即可关火。

tips

1. 勤劳的妈妈可以将番茄去皮后再切成丁，这样吃起来省事儿多了。

2. 炒番茄之前记得要先爆香点姜末，这样炒出来的番茄特别香。

3. 没有番茄酱就用番茄沙司代替。

4. 将拌饭盛入烤盘中，铺一层芝士后再入烤箱烤至芝士融化，又变身成另一款美味焗饭了。

什锦儿
把所有想吃的串起来

工具 — 烤箱。

材料 — 玉米1根，蟹柳3根，鱼丸5粒，黄瓜1根，小番茄5个，培根3片。

调料 — 油，黑胡椒碎。

晚上问石小跳："明天早上想吃点什么？"小人儿面露难色，实在不晓得作出什么选择，扒拉了一下家里的库存，小番茄想吃，玉米也是最爱的，海鲜丸子看起来也不错，当然还少不了肉……咋办？不如全部吃掉？石小跳听罢，立刻欢呼雀跃起来。想全部都吃到，其实也不是什么难事嘛，竹签串起来一起烤烤不就行了么？不动锅不动火的，还省不少事呢！

做法

1 竹签用开水焯焯，消毒。所有食材洗净。玉米切小段，培根一片对切成两片，黄瓜切小段。

2 培根卷上黄瓜条后用牙签固定，连同其他的食材一起用竹签串起来。

15分钟

3 用毛刷蘸油，均匀刷在食物表面。

4 撒上适量盐和黑胡椒碎。

5 串串放烤网上，置于烤箱中层，下层另外再放一个垫了锡纸的烤盘接油。调至200℃，烤约15分钟。中途取出翻面、刷油、撒黑胡椒碎。

1. 蟹柳和鱼丸是冷冻食品，需要提前从冰箱里取出来解冻。

2. 烤串的食材不限，家里有什么就串什么，随意。调料也可随口味随机调整。

3. 水果玉米原则上是能烤熟的，如果是其他品种的玉米，可以先煮熟或蒸熟再烘烤。

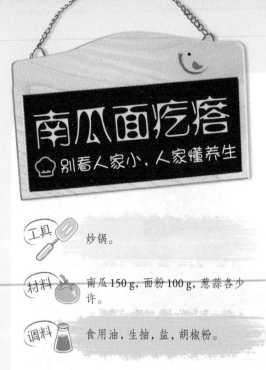

南瓜面疙瘩

别看人家小，人家懂养生

工具　炒锅。

材料　南瓜150 g，面粉100 g，葱蒜各少许。

调料　食用油，生抽，盐，胡椒粉。

我们家有三种食材是轮番上阵的，而且每天必须有其中一样。制定这规矩的人就是石小跳。别看人家年纪小，养生的学问可是一箩筐哦。冷不丁地就会冒出"鱼生火肉生痰，萝卜青菜保平安"这样的金玉良言。又或者，即使害怕青椒辣，但还是咬牙吃掉，并振振有词地说："青椒富含维生素，我要多吃！"哦，对了，他那必须的三种食材就是：红薯、玉米和南瓜。每天从幼儿园吃过晚餐回来后，在家里必定要补充一顿，就是以上三者的其中之一。粗纤维的食物促进肠胃蠕动，这点，他非常清楚！

做法

1　南瓜洗净后切片，葱和蒜切成薄片。

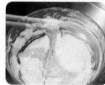

2　油热后，将葱蒜放入炒香。

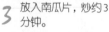
3分钟

3　放入南瓜片，炒约3分钟。

4　倒入足量的清水，煮至沸腾。

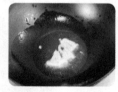

5　在等候锅中水烧至沸腾的时候，调一份面粉糊。面粉加清水，边加水边搅拌，成浓稠的糊糊状。

6　锅中水沸腾后，用筷子将面粉糊挑进锅中，同时用铲子略加搅拌以免糊锅。调入生抽、盐和胡椒粉。

7　出锅前撒上葱花即可。

调制面粉糊时不用太拘泥，调稀了就加些面粉，调干了就加点水，吃多少做多少。喜欢软疙瘩的，就将面糊调稀点，喜欢硬口感的，就将面糊调成棉絮似的干粉状。清清爽爽的早晨，不需要太多时间就可以完成这道健康的早餐，推荐！

照烧鸡肉饭
三口鸡肉一口饭

工具 　平底锅。

材料 　鸡翅根3个，青菜1把。

调料 　料酒，五香粉，生抽，蜂蜜，盐，食用油。

一直以来，我都要求石小跳不能挑食，吃饭的时候得荤素搭配着来，一口米饭＋一口青菜＋一口肉，每一样都必须均衡摄入。但小朋友总是不遵守约定，遇上不怎么对胃口的菜时，他宁愿口口都是白饭，而且得是任何菜汁儿都不沾的白米饭，石小跳觉得白米饭好吃，他说是甜的。可是，当他遇到照烧鸡肉时，竟然要求说："妈妈，我能三口鸡肉一口饭吗？"说真的，照烧鸡肉饭真的好吃，这次三根鸡翅真是太少了，我都没尝出个味儿，就被他吃光了。

做法

1　鸡翅根去骨，用刀背拍打一下，然后用叉子在鸡皮上叉匀。

2　用料酒和五香粉腌制码味。

3　调照烧汁。料酒、生抽、蜂蜜按2:2:1的比例调匀，没有蜂蜜的话就用白糖代替，比例相同。

4　平底锅内放少许油，油热后放入码好味的鸡肉，鸡皮朝下，煎的时候用铲子不停地按压，保持鸡肉平整不会卷起。

5　待鸡皮煎至金黄时翻面，煎至两面金黄。

6　浇入照烧汁，用小火收汁，随时搅动以免糊锅。

7　汤汁不必全部收干，留一些浇在米饭上会更好吃。煎肉的同时另取一个小锅，放水加几滴油和盐，水沸后氽些青菜并立即过凉。烧好的鸡肉稍凉后切块。盘中盛些米饭，码上鸡肉和青菜，淋些汤汁即可。

tips

1. 如果天气较冷，在调制照烧汁时蜂蜜不易融化，可将碗放入微波炉中加热30秒即可。

2. 生抽本身就有咸味了，所以在腌鸡肉的时候不需要放盐。

3. 也可以用鸡腿代替鸡翅根，吃起来更有肉感。

鲜虾馄饨面
🧁 包个小元宝似的馄饨

🍳 **工具**　汤锅。

🍅 **材料**　馄饨馅100 g，馄饨皮适量。虾5只，青菜1小把，波纹面50 g。

🧂 **调料**　生姜，小葱，料酒，盐，胡椒粉，高汤。

我个人很爱吃包馅类的食物，例如包子、饺子、馅饼、馄饨……但以前包的馄饨总不大好看，大多是塞了馅后胡乱一捏，当然，吃是不影响的，可我有点强迫症，非要做得好看些才安心。我单位附近就是武汉某著名的小吃街，人家那薄皮大馄饨包得可好看了，没事儿我就杵在馄饨摊前偷师，然后再回来折张纸琢磨。终于，咱的馄饨包得也是有模有样了！可是，石小跳不买账啊！！他对我说：妈妈，明天你做顿没有馅的饺子吃吧！

做法

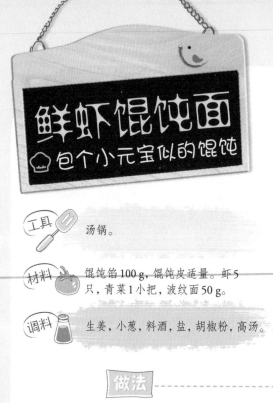

1 把馄饨皮放在手心展开摊平，放1小勺肉馅在中心。

2 将馄饨皮对折下来，肉馅在对折后的上端部分。

3 对折后的馄饨皮底端的一半再向上折起。

4 如图所示，顺势弯成半圆形。

5 在拇指的对角处蘸些水。

6 再将对折合拢，粘合起来，即可。

7 汤锅中放足量的清水，煮沸后放入波纹面。

8 接着放入馄饨同煮。待面和馄饨都煮熟后捞出，放入汤碗中。

9 用煮面的水分别焯鲜虾和青菜，烫熟后捞出放在汤碗中。

10 最后往汤锅中盛入高汤，煮沸后倒入盛有馄饨面的汤碗中即可。

tips

1. 馄饨的肉馅可以依据自己的喜好调制。通常，我会在肉馅中加入一个鸡蛋以增加其细嫩的口感，接着调入料酒、盐、胡椒粉以及姜末葱花，然后顺着一个方向搅拌上劲。用不完的肉馅可以蒸肉丸，或者做杂汤丸子，都非常好吃。

2. 馄饨面中的面条不一定非要用波纹面，其他的面条也行，视个人喜好。

3. 我用的高汤是鸡汤。鸡架两只，姜2片，砂锅中加足量的水，小火慢炖2个小时即可。

面片汤
🍴 不要饺子馅只要饺子皮

石小跳不吃薄皮大馅的馄饨，非得"不要饺子馅只要饺子皮"。好吧，面片汤是吧？娘亲就满足你小小的心愿吧！买饺子皮的时候，看见翠绿的蚕豆米很讨人喜欢，毕竟春天来了！买了半斤蚕豆米，回去用番茄鸡蛋一起煮个面片汤……嘿嘿，春天的味道！

工具 🍴 炒锅。

材料 🍅 蚕豆米1把，番茄1个，鸡蛋1个，面片少许，姜1片。

调料 🧂 食用油，高汤，盐，生抽，胡椒粉。

做法

1 准备食材。面片稍改刀，番茄切块，鸡蛋加少许盐打散。

2 油热后，倒入鸡蛋液炒散后盛出。

3 锅中留底油，放入1片姜炒香后倒入番茄，炒软出汁后倒入适量高汤。

4 高汤煮沸后依次倒入面片、蚕豆米和鸡蛋，调入适量盐、生抽和胡椒粉即可。

tips

1. 高汤用的是鸡汤，没有就用清水代替。

2. 喜欢番茄味道浓郁些的，可以加适量番茄酱调味。

3. 面片在菜场就有卖的，买不到用水饺皮也成——是水饺皮不是馄饨皮哈。

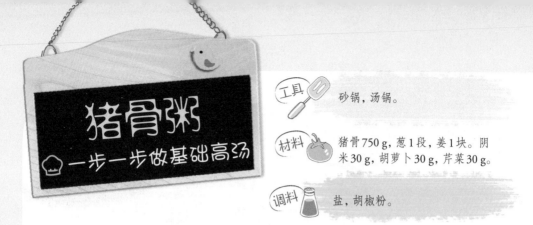

猪骨粥
一步一步做基础高汤

工具　砂锅，汤锅。

材料　猪骨750 g，葱1段，姜1块。阴米30 g，胡萝卜30 g，芹菜30 g。

调料　盐，胡椒粉。

经常听到说"高汤"。不论是炒菜、煮面、煲汤还是炖肉，高汤能提升菜肴的品质。高汤分为很多种，鸡汤、牛肉汤、鱼汤……其中最基础，也是最常用到的就是猪骨汤了。比起挖1小勺浓汤宝来制造高汤，还不如闲暇的时候用小火慢慢炖一锅浓郁的猪骨汤。我们可以将炖好的高汤分装冷冻起来，需要的时候，取出一份，不但方便，而且健康营养又美味。

做法

1　买猪骨的时候，请师傅将骨头斩成段。

2　葱切小段，姜切片。

3　锅中放水，水沸腾后放入洗净的猪骨，煮约3分钟，去血水。

3 分钟

4 将猪骨捞出，用清水冲去浮沫。

5 把猪骨和葱段、姜片放入砂锅中，加入足量的清水，水量一次要加足，猪骨和水的比例按1:5就好。

6 大火煮沸后，用汤勺撇去浮沫。

2~2.5小时

7 转小火慢炖2~2.5小时。

8 冷却后的猪骨汤用滤网过滤掉杂质。

9 用保鲜袋分装，冷冻，随用随取。

10 将猪骨汤中骨头挑拣出来，拆下肉剁碎。

11 另外准备些阴米。将阴米、剁碎的肉末、适量的猪骨汤倒入汤锅中一并煮。

20
分钟

12 水沸后转小火继续煮20分钟。

13 最后加些切碎的胡萝卜和芹菜，加盐、胡椒粉调味。猪骨粥，就完成了！

tips

　　阴米是将糯米用清水浸泡7～12小时后，沥干水分再蒸40～60分钟，蒸煮熟透后摊开晾凉，待米粒外层变硬后，用手搓搓散开来，几天后等米粒完全干燥无水分后即可密封保存了。阴米很养人，有暖脾、补中益气的功效。再者，因为阴米本来就是熟的，所以早餐用阴米来煲粥是相当快捷的。

热干面
日销量过百万碗的明星面

工具 汤锅。

材料 筒装碱面 100 g，胡萝卜 20 g，葱花 1 勺。

调料 食用油，生抽，老抽，芝麻酱，盐。

在武汉繁多的早点品种中，最让武汉人百吃不厌的只有热干面了。据相关资料统计，武汉热干面的日销售量超过百万碗，可见，热干面是武汉人的最爱啊。石小跳也是如此。任何时候，只要我们问他：早餐想吃什么？他的回答十有八九都是热干面。以往，自己在家里DIY一次热干面挺麻烦的，生面买回来煮后还得再加油挑拌晾凉。可现在，筒装的碱面大大简化了烹饪步骤，比起在小吃店买的，自己在家做的热干面料更足、味更正！

做法

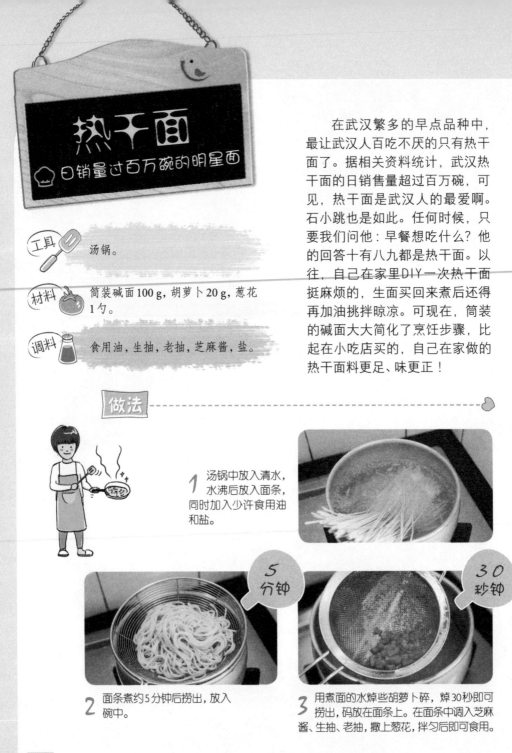

1 汤锅中放入清水，水沸后放入面条，同时加入少许食用油和盐。

2 面条煮约5分钟后捞出，放入碗中。

5 分钟

30 秒钟

3 用煮面的水焯些胡萝卜碎，焯30秒即可捞出，码放在面条上。在面条中调入芝麻酱、生抽、老抽，撒上葱花，拌匀后即可食用。

tips

1. 如何判断面条煮熟与否？煮时要观察面条，中间略有白芯的时候即可捞出，余热会将面条继续焐一会儿，这样的程度就刚刚好了。面条得是劲道不粘牙的，火候要恰到好处。

2. 买回来的瓶装芝麻酱会比较干，可以调些芝麻油一起稀释，加了芝麻油的芝麻酱会更香。

3. 拌面条的时候，若太干，加几勺煮面的水。

4. 根据个人的口味，可以佐以榨菜、酸豆角等咸菜同食。另外，武汉人拌热干面时还会加1勺醋和1勺辣油，不妨试试。

鸡蛋软饼

点击率最高的一道早餐

 工具　煎锅。

材料　中筋面粉100 g，鸡蛋30 g，冷水150 g，青菜和火腿各少许。

调料　食用油，盐1/4小匙，胡椒粉。

鸡蛋软饼，我从小吃到大，并不是因为它有多么的好吃，而是任何时候，只要家里有面粉和鸡蛋，就能快速做成。偶尔熬夜，大半夜肚子饿了，翻箱倒柜也找不出吃食时，只要有面粉就能倒腾出一道软饼。与鸡蛋搭配是鸡蛋软饼，与香葱搭配是葱花软饼，与青菜搭配是时蔬软饼……点击率高就是这么来的……

做法

1 面粉和盐混合后，将鸡蛋液打入，将冷水缓缓地倒入。

15分钟

2 同时用筷子划圈搅拌成面糊状，将面糊静置15分钟。

3 将火腿和青菜切成末，倒入面粉糊中，调入少许胡椒粉拌匀。

4 油热后，将面糊倒入锅中，晃动锅并借助铲子使面糊均匀地平摊在锅中。将软饼煎至两面金黄，就OK了。煎好的软饼可以直接食用，为了逗孩子开心，也可以将软饼卷起切块后用竹签串起来，很Q。

面糊的浓稠度直接决定软饼的厚度，喜欢吃厚些的，就将面糊调浓一些，反之就调稀点。煎好的软饼还可以卷着油条吃，或者在饼上抹些辣椒酱、腐乳酱，别有一番风味。

妈妈面
有妈妈味道的面

工具 汤锅。

材料 猪肉30 g，鸡蛋1个，青菜1把，生面100 g，高汤（或清水）适量。

调料 盐，料酒，胡椒粉，淀粉。

什么样的面透着妈妈的味道呢？仔细想想，每个人小的时候都会吃过妈妈煮的面，一碗很家常的面条里倾注了妈妈的爱心。担心孩子没吃到肉，必定会有肉丝；担心营养不够，来一个荷包蛋；每天的青菜是不可或缺的，因此再加少许青菜。普通的一碗面，却是妈妈的良苦用心。对于一日三餐都在幼儿园解决的石小跳，他在家里的每一口食物，我都不敢懈怠，他长得瘦，吃起肉来又挑肥拣瘦，所以家里时不时地都得准备一些高汤。我告诉他：不吃肉但一定要喝骨头汤，这样才能长得高长得壮。小人儿很听话，每次的骨头汤都喝得毫不含糊，今天的妈妈面，虽然普通，但也是高汤烹制，营养不含糊。

做法

1 猪肉切丝后，加入少许料酒、盐、胡椒粉和淀粉腌制码味。

2 取出一份冷冻的猪骨高汤，放入汤锅中小火加热使其融化。

3 高汤煮沸后放入面条。

4 接着敲入鸡蛋，鸡蛋入锅后不要立即搅动，以免搅散。

5 然后加入猪肉丝，用筷子稍微拨散开来。

6 最后倒入洗净的青菜，调入盐和胡椒粉即可。

kit che

tips

1. 高汤的做法见猪骨粥中的基础高汤。

2. 熬制的骨汤中已经有油了，因此不用另外加食用油。

3. 每个妈妈都有自己的喜好，面中搭配的菜也不尽相同，自由发挥做出属于自己、也属于孩子的独一无二的妈妈面吧！

肉丝卷饼

今天，你快乐吗？

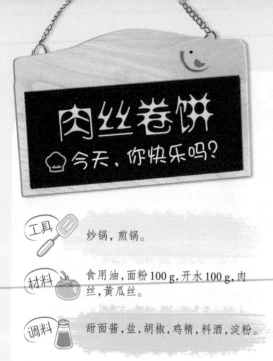

工具 炒锅，煎锅。

材料 食用油，面粉100 g，开水100 g，肉丝，黄瓜丝。

调料 甜面酱，盐，胡椒，鸡精，料酒，淀粉。

石小跳在幼儿园学分享阅读，其中一课是《快乐》。那几天他经常会在我耳边朗诵这篇小文，仔细听来，很有一番味道：快乐的时候，我们常常会笑：微笑，或者哈哈大笑。穿上漂亮的花裙子，你会快乐；玩好玩的玩具，你会快乐；闻到蛋糕香喷喷的味道，你会快乐；被爸爸的大手举到空中，你会快乐；有时候，因为看见别人快乐，你也会快乐……

我们常常觊觎别人的幸福生活，而忽视了自己身边的快乐。或者，我们放大了生活中小小的挫折，被满满的苦闷占据，哪里能发现快乐呢？无论是怎么样的人生，都是上天赐予我们的礼物，或贫穷或苦闷，都应怀抱感恩的心去接受。今天，你快乐吗？我先说吧，早上石小跳自己起床穿衣，我很快乐！今天的早餐被他表扬了，最快乐！

做法

1 开水转圈后倒入面粉中，然后用筷子迅速拌均匀。

2 倒入案板上，用刮板拌匀。

1小时

3 用抹了油的保鲜袋将其包起来，静置松弛1个小时。

4 将松弛好的面团分割成3等份，面团上和案板都抹油防粘，将面团擀成薄片。

5 煎锅不抹油，加热后，将面片放入锅中，小火煎熟。

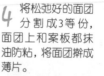

6 松弛面团的时候，将肉丝用料酒和淀粉腌一会儿。

7 锅烧热油后将肉丝放入。

8 肉丝炒变色后，加入甜面酱炒匀，接着放入适量盐和胡椒、鸡精调味即可。

9 在煎好的单饼中放入肉丝和黄瓜丝儿卷起。

tips

1. 单饼是用烫面的做法，面饼的口感会软一些，放冷了也不会发硬。

2. 在腌肉丝的时候就加几滴食用油拌匀，这样炒肉丝的时候肉就不会结成一大块了。

3. 如果担心烫面的饼做不好，也可以用鸡蛋软饼来卷着吃，或者用豆腐皮、春卷皮，甚至生菜叶子都行。

蜜汁叉烧饭

零技巧叉烧肉

工具　　烤箱。

材料　　猪肩颈肉300 g。

调料　　叉烧酱3大勺，生抽1大勺，老抽、
　　　　淀粉少许，料酒1大勺，姜2片。

不知道是不是所有的小朋友都好甜口呢？在这一点上石小跳表现得相当明显。他对叉烧肉有着强烈的热爱。所以，每次端到他面前的叉烧肉不能太多，虽然好吃爱吃，咱也得控制着来，不然依他这么个来叉烧不拒的劲头，咱可养不起了！

做法

1 将肉洗净，切成大块。

2 用叉烧酱、生抽、老抽和姜片腌制猪肉，充分拌匀后放入冰箱冷藏1~2天。期间最好取出翻拌一次。

3 将腌制好的肉取出，烤箱预热至220℃。腌肉的调料汁留着待用。将肉放在烤网上置于烤箱中层，烤网下放一个烤盘，烤盘上铺层锡纸以接住烤制过程中滴下来的肉汁。烤15分钟后取出，两面刷上调料汁，翻面再烤15分钟。烤好的肉稍凉后切片装盘，剩余的调料汁加少许水淀粉调匀后，在锅中大火收汁至浓稠后盛出，淋在叉烧肉上食用。

tips

好简单吧？不需要很繁琐的步骤，只要准备好调料，小朋友都能做出来呢。制作上没什么好tips的，这里，我们来说说肩颈肉。肩颈肉，顾名思义是猪脖子上那点肉，肥瘦纵横交错，又因为肩颈处经常活动，所以肉质特别嫩。据说每头猪只有八两的猪颈肉，所以也不那么容易买到。用肩颈肉做的叉烧，口感上除了嫩滑外，隐蔽在瘦肉中的肥肉也比较容易出油，相对于纯瘦肉做的会更香一些。如果实在买不到，可以用五花肉或里脊肉代替。

基础寿司
幼儿园春游的小便当

工具 煎锅，寿司卷帘。

材料 米饭1碗，鸡蛋2个，火腿3片，黄瓜半根，寿司紫菜3张。

调料 寿司醋（白醋30 ml，白砂糖25 g，盐4 g），淀粉1/2小勺。

石小跳上的幼儿园组织春游，是亲子游，因为孩子小，老师带不过来，所以家长孩子齐上阵。好久没这么正式地春游过了……回忆起我上学那会儿，春游那是顶大的事情啊，早早就把春游要带的食物准备好了，并且兴奋得好几天都睡不着觉。我这点"恶习"一直到现在都还有，只要是要出门旅游了，我就开始失眠。春游这等大事儿，我可不敢怠慢，即使我只是个配角，咱也得好好准备。所以，今天的早餐，就是便当里的边角料了。

做法

1 先来做寿司醋。白醋、白砂糖和盐混合后，小火加热至糖溶化（不要煮开），放凉后即可。米饭蒸好放凉后，加入寿司醋拨散拌匀。

2 鸡蛋打散成蛋液，加1/2勺淀粉搅打均匀。油烧热后将鸡蛋液倒入锅中煎成蛋皮。

3 将蛋皮切成丝，待用。

4 锅中放入火腿片，煎熟后盛出，切丝待用。

5 黄瓜切成与紫菜等长的细段。

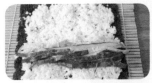

6 寿司卷帘上铺上紫菜，挖1勺寿司饭在紫菜中间。

7 用铲子将寿司饭按压平铺在紫菜表面，上下左右均留些间隙。在中间偏下处摆上蛋皮丝、火腿片和黄瓜丝。

8 借助卷帘卷起，固定两分钟后切块。

tips 寿司海苔得密封保存。如果不小心海苔受潮不脆了，可将海苔放入烤箱略烤一下就行了。

奶香小布利
越嚼越香的硬质面包

春游的便当里除了寿司，还准备了这种小面包——奶香小布利。这是石小跳最爱的面包之一，曾经要求我做一大盒子带去给幼儿园的小朋友们分享。面包很小个，一个面团才20 g，跳儿胃口大开的时候，一次能吃5～6个呢。

工具 烤箱。

装饰 蛋液，白芝麻各少许。

材料 甜面团食材：高粉200 g，低粉50 g，糖40 g，盐2.5 g，酵母4 g，全蛋液25 g，牛奶130 g，黄油25 g。

小布利食材：高粉180 g，低粉31 g，糖40 g，盐2 g，全蛋液76 g，牛奶32 g，黄油56 g，甜面团151 g。

做法

1 将除黄油外的所有甜面团食材放入面包桶中。

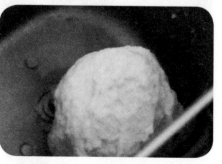

2 开启面包机，选择发面团程序，将面团搅拌至光滑。

3 加入软化的黄油，将面团揉至扩展阶段。

4 当面包机停止搅拌开始发面时，在面包桶表面盖一层保鲜膜，防止面团风干。当面团发至2～2.5倍大时，手指粘面粉后在面团上戳个孔，孔不回缩即表示发酵完成。这样，甜面团就做好了。将小布利所需要的面团分出来，剩余的封装冷冻，留到下次使用。

5 将甜面团撕成小块与小布利的其他食材一起放入面包桶。开启面包机，将面团搅拌至光滑即可取出。

15分钟

6 将面团盖上保鲜膜后，静置松弛15分钟。

7 按20 g/个分割成若干个小面团，双圆后摆放在案板上。

揉搓成水滴状

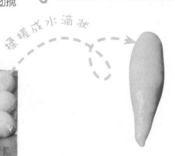

8 取一个小面团，用手揉搓整理成水滴状。

9 再用擀面棍擀开，擀得越长卷的层次就越多。

10 把面皮从上往下卷起来。

11 收口朝下摆放在垫有油纸的烤盘中，在面团的表面刷层蛋液，撒上白芝麻。

20分钟

12 烤箱预热至180℃，中层，烤约20分钟。

tips

所谓甜面团实际上就是老面，用不完的老面封装冷冻后，再用时提前取出来室温解冻软化就可以了。小布利是不用二发的硬质面包，在制作上大大缩短了时间，喜欢吃硬口感面包的不妨试试。另外，在卷起面团的时候，还能在里面夹些馅料，例如蜜红豆或者肉松等，这样会更讨小朋友的喜欢。

卡通三明治
童趣早餐

工具 煎锅。

材料 吐司3片，火腿3片，奶酪2片，生菜2片。

给孩子做早餐其实不难，如果能多费些心思，把食物做得充满童趣，孩子会吃得更开心。切片吐司夹料做成三明治，普通得不能再普通的食物，换一个可爱些的造型，让石小跳两眼放光。每块三明治的分量很少，孩子一次吃掉三四个不在话下。遇到合心意的早餐时，他会说："妈妈，以后早餐永远都吃这个啊！"

做法

1 将三明治火腿放在锅中略煎一下。

2 用小模子将吐司片上按压成小块，一片吐司可以压成四小块。

3 用印章的一头在小吐司片上摁个戳儿。

4 用小模子依次压好火腿、生菜和奶酪片。

5 最后将所有食材重叠累夹起来，可爱的卡通三明治就做成了。

tips

1. 可以用任意有造型的卡口来压形，善于发现和利用手边的工具，一样能创造出其不意的效果。

2. 奶酪片是补钙的佳品，很适合小朋友食用。

3. 三明治夹馅的食材品种不限，如果您有更好的搭配，记得告诉我！

ABC 土豆泥
边吃早餐边学英语

嘿，边吃饭边看书是不可取的哈！咱们今天既让孩子开心大口吃，还能顺带学英语——ABC土豆泥。"ABC"是字母意大利面，买这个面条回去的时候，石小跳并不知道，所以当得知边吃还能边学英语时，小人儿很是疑惑。看到意大利面时，他惊喜得哟——每吃进去一口，就仔细回忆一个幼儿园学的单词。我说："你把整碗面都吃完，你就会说英语了哦！"他哈哈大笑，明知道我是在逗他玩儿，但吃得却是更带劲儿了。

工具 蒸锅，炒锅。

材料 土豆2个，意大利字母面50g，培根2片，生菜30g。

调料 食用油，牛奶，盐，黑胡椒碎，番茄酱。

做法

1 土豆去皮切厚片，放蒸锅中蒸熟。

2 生菜和培根都切成小块。

3 土豆蒸熟后，用擀面棍捣成泥，并加入牛奶搅拌成糊状，牛奶多放些，不能太干。

4 锅内不放油，放入培根煎出油。

5 将煎好的培根倒入牛奶土豆泥中，如果干了适当加牛奶调整，调入盐和黑胡椒碎。

6 沸水中加入少许食用油和盐，放入字母意大利面煮熟后捞出。将字母意大利面、土豆泥和生菜摆盘后一起食用，喜欢番茄酱的小朋友也可以加些调味。

如果做得太多，一次没能吃完，下次可将剩下的字母意大利面盛入烤碗中，上面铺一层奶酪丝，烤箱调至200℃，烤至奶酪融化，这样更加美味哦！

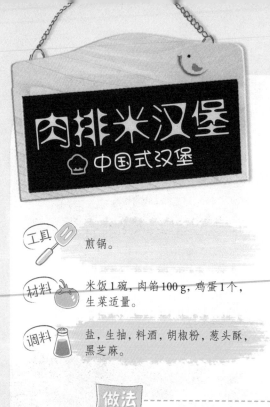

肉排米汉堡
中国式汉堡

工具 煎锅。

材料 米饭1碗，肉馅100 g，鸡蛋1个，生菜适量。

调料 盐，生抽，料酒，胡椒粉，葱头酥，黑芝麻。

昨天和石小跳聊天，我有些伤感地问他："你以后娶了老婆会不会就不喜欢妈妈了？"小人儿立刻反驳道："不会的！"我说："你现在觉得不会，等将来你娶了老婆，你就不这么说了。"听罢，他一把拽着我往他的小黑板走去，边走边对我说："走，我在小黑板上写上'跳跳只能喜欢妈妈'，这样我就不会忘记了！"顿时，心中涌起一丝小感动，看着他写字的小背影，真希望他永远不要长大啊！

做法

1 在肉馅中加入鸡蛋液，然后加入适量盐、料酒、生抽、胡椒粉和葱头酥，顺着一个方向搅拌上劲。

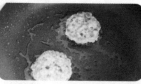

2 用手将肉馅整理成圆饼状。

3 锅烧热油后将肉饼放入锅中煎熟。

4 手蘸些凉开水后，抓米饭揉捏成与肉排差不多大小的饼状，两层米饭中间夹入1块肉排和1片生菜，上面撒些熟的黑芝麻点缀即可。

tips

肉馅一定要搅拌到比较黏稠的程度，这样肉排煎出来才是完整的一块，不会散开来。另外，肉排除了在锅中煎制外，还可以在烤箱中用200℃烤20分钟左右，记得中途要取出来翻个面。

法式吐司
🍳 马克·吐温?

🍴 **工具** 平底锅。

🍅 **材料** 吐司1片，鸡蛋1个，牛奶60 ml，黄油少许，蜂蜜少许。

上高中那会儿，学校附近开了间叫"红苹果"的快餐店，店里头有薯条、意大利面、卤肉饭、炸鸡……品种繁多。餐厅里有柔软的靠背沙发、大大的落地窗，高级得不得了哩！冰激凌甜点香蕉船，是我当时最最梦想能吃上的。但因为价格不菲，从来只能眼巴巴地看看。其中最平民的一道美食就是价值5元的"法式吐司"了，一个纯白的大圆盘子，几片煎得金黄漂亮的吐司面包，而且还配着刀叉端上来。每次吃，都要在心里默念"左手叉，右手刀"，然后佯装很淑女的样子慢慢地吃掉。那时候，这"法国吐司"的名字让我们非常不解，不知道这"吐司"究竟是个啥高级玩意儿，反正就这么随波逐流地叫着，以至于后来被同班美女喊成了"马克·吐温"，哈哈！好吧，马克·吐温，这回自己做！

做法

1 鸡蛋打散后，加入牛奶搅拌均匀。

2 吐司对角切成三角形待用。

3 将吐司放入鸡蛋牛奶液中，使其均匀地裹上蛋汁。

4 平底锅抹少许黄油，烧热后将吐司放入，煎至两面金黄，吃的时候淋上点蜂蜜。

tips

1. 鸡蛋牛奶液最好盛在一个平盘中，这样能使吐司片均匀地裹上蛋汁。

2. 为了使口感更加丰富，可以在两片对角吐司中间抹些果酱，然后再裹蛋汁煎制。

红糖蒸糕
儿时的美味

工具　蒸锅。

材料　大米粉100 g，糯米粉50 g，白砂糖20 g，牛奶和红糖适量，刷模具用油少许。

蒸糕，还记得吗？小时候一毛钱还是两毛钱一个，松松软软的。记忆里卖蒸糕的都是大爷，甚至近几年在小吃街里看见挑担卖蒸糕的，依稀觉得他就是当年在我们学校门口卖蒸糕的大爷，偶尔攀谈起来，他说：当年的大爷是他的父亲……这代代相传的蒸糕啊，承载着多少儿时的记忆啊！

做法

1　大米粉和糯米粉按2：1的比例混合，加少许糖。糖不需要给太多。

2　将牛奶缓缓倒入，边倒边顺一个方向搅拌，直至米粉成松散状，捏起成团，砸开即散。这个程度很不好把握，完全得靠感觉，或许多做几次就有经验了。放太多牛奶，蒸糕就会太糯粘牙；反之，蒸糕就会发硬。

3　将拌好的面粉用手搓散，越散越好。

4　用筛网将粉过滤。

5　在模具中刷层薄油，然后一层米粉、一层红糖、再一层米粉盛入。放米粉的时候一定要切记松散，不能按压。

6　蒸锅中水沸上汽后，将其摆入，大火蒸30分钟即可。

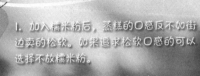

tips

1. 加入糯米粉后，蒸糕的口感反不如街边卖的松软。如果追求松软口感的可以选择不放糯米粉。

2. 蛋糕小花模受热不均匀，底部比较不容易熟透，因此蒸的时间要略长一些。如果换成慕斯圈，蒸的时间应该适当减少。

3. 除红糖外，还可以加豆沙馅，或者蜜红豆、蜜饯等使口感更加丰富。

重磅芝士蛋糕
冰激凌的替代品

石小跳几乎没吃过雪糕或冰激凌,所以对冰品有着极大的向往。偶尔我会做个芝士蛋糕给他解馋,芝士蛋糕浓郁的香味与顺滑的口感都与冰激凌极其相似,其营养价值更是远远高于后者,足以让他一饱口福。蛋糕中的饼底就如同脆皮甜筒的脆皮,让味蕾接受多层次的冲击,妙不可言。

工具 烤箱,6寸蛋糕模。

材料 奶油奶酪 250 g,白砂糖 80 g,鸡蛋 120 g,玉米淀粉 15 g,柠檬汁 10 g,牛奶 80 g,朗姆酒 1 大勺,香草精 1/4 小勺,奥利奥饼干 100 g,黄油 50 g。

做法

1 准备食材。奶油奶酪提前从冰箱取出,室温软化。

2 奥利奥饼干去掉夹馅后,取一个保鲜袋将饼干装起来系紧收口,再用擀面杖将其压碎盛出。黄油放入碗中,放微波炉中加热30秒后取出,与饼干碎充分拌匀,倒入蛋糕模中用力压平压实,然后放入冰箱冷藏待用。

3 奶油奶酪软化后,先加入白砂糖用打蛋器搅打至顺滑无颗粒,接着分次加入2个鸡蛋,将奶油奶酪与鸡蛋液搅打均匀后再加入下一个鸡蛋。

4 加入柠檬汁搅打均匀。

5 倒入玉米淀粉拌匀。

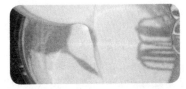

6 依次倒入牛奶、朗姆酒和香草精，
搅打均匀。

7 完成的蛋糕糊顺滑无颗粒，将其倒入6寸的活底蛋糕模
中，蛋糕模底部用锡纸包裹，烤盘中倒入热水，将蛋糕模
坐放在水盘中，烤箱预热至160℃，中下层，烤约60分钟，观
察表面呈漂亮的金黄色即可。

刚出炉时，并不是芝士蛋糕的最佳
食用时间，将其放入冰箱里冷藏2小
时，再取出脱模切块享用。切芝士蛋糕讲
究热刀切，即准备一杯热水，将刀烫热后
拭去水分再切，切一刀烫一下，这样便能
切出漂亮的芝士蛋糕了。

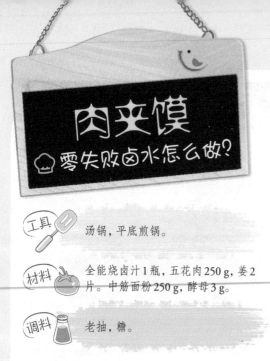

肉夹馍
零失败卤水怎么做？

工具　汤锅，平底煎锅。

材料　全能烧卤汁1瓶，五花肉250 g，姜2片。中筋面粉250 g，酵母3 g。

调料　老抽，糖。

天气渐渐热起来，身上的赘肉藏也藏不住了，于是嚷嚷着要减肥。可减肥归减肥，也不能克扣孩子的饮食啊？这不，大半夜的还卤着肉，啧啧，满屋子肉香……唉！只能看不能吃的滋味，谁懂？！第二天清晨闹钟还没响呢，我就醒了，没错！我惦记着那锅肉……我要吃肉！迅速地发面，烙馍……囫囵一个进肚，其实还没尝出味道来。再吃一个吧？可，我不正喊着减肥吗？算了算了，看着石小跳吃吧。

做法

1 将五花肉洗净，切成大块。全能烧卤汁和清水按1：10比例兑好。如果卤汁不怎么上色，可以再加些老抽，再放2片姜，把肉放进卤水中，大火煮沸后，转小火卤1.5小时。

1.5小时

2 所有食材混合，揉至三光后，置于温暖处发酵至2倍大。

3 将发酵好的面团放在案板上，轻擀出气泡，盖上保鲜膜松弛20分钟。

4 分割成5等份，搓圆按扁后放入平底煎锅中，锅中不放油，小火干烙至两面微黄。

5 将馍剖开但不要剖断，夹进剁碎的卤肉，再淋上两勺卤汁，即可。另外还可以加些切碎的青椒，或者香菜。

tips 卤汁不只是卤猪肉，还可以卤鸡翅、鸡爪、藕、鸡蛋……不过，要注意的是，要先卤荤的再卤素的：一来荤的出油，二来素的，尤其是藕，卤完后，卤水会有点酸味，所以把素的放在最后卤就不影响卤汁的味道了。

粉嘟嘟肉松饭团
色诱他的嘴儿

工具 汤锅，榨汁机，电饭煲/蒸锅，饭团模具。

材料 草莓250 g，米1小杯，寿司醋3大勺，肉松适量，装饰用海苔少许。

调料 白糖，盐。

　　小朋友也贪新鲜，粉嘟嘟的红饭团没吃过吧？饭团里还藏着石小跳最爱的肉松。洗干净双手，直接用手抓着往嘴里塞，嘿嘿，面对这么个狼吞虎咽的孩子，妈妈好有成就感哦！

做法

1 制作寿司醋：白醋30 ml，白糖25 g，盐4 g，在小汤锅中混合，小火加热搅拌至糖融化，不要烧开。放凉后即可。用不完的寿司醋放在玻璃瓶中密封储存。

2 新鲜草莓用搅拌机榨成汁。

3 米淘洗干净后，按煮饭的比例倒入草莓汁，用蒸锅蒸饭。这样就做成了粉嘟嘟米饭了。在蒸好的米饭中加入2勺寿司醋拌匀。

4 往三角形饭团模中放入少许米饭，然后在中心填入肉松，接着再放入米饭压实，脱模后底部用海苔片装饰即可。

tips

1. 草莓汁可以用胡萝卜汁或者苋菜汁代替，都能做出粉红粉红的漂亮颜色。除此之外，绿绿的青菜汁，浪漫的紫薯汁都是很不错的选择哦。

2. 肉松要填在米饭的中心，被米饭包裹住，不然米饭就不易成团了。

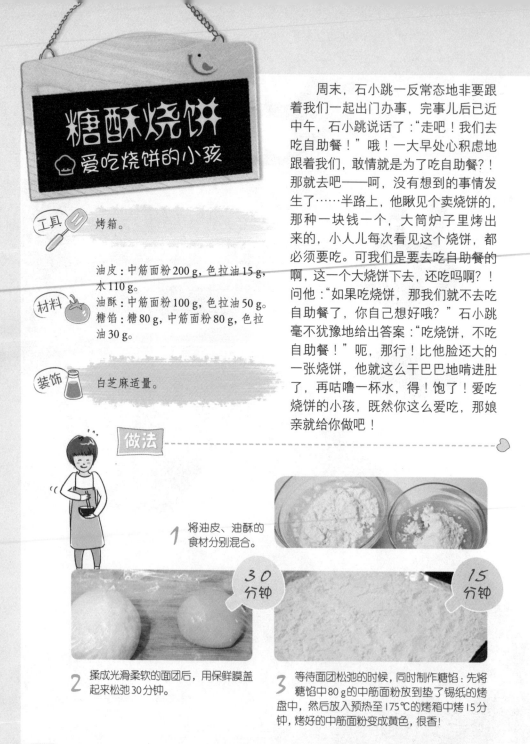

糖酥烧饼
爱吃烧饼的小孩

工具 烤箱。

材料
油皮：中筋面粉200 g，色拉油15 g，水110 g。
油酥：中筋面粉100 g，色拉油50 g。
糖馅：糖80 g，中筋面粉80 g，色拉油30 g。

装饰 白芝麻适量。

周末，石小跳一反常态地非要跟着我们一起出门办事，完事儿后已近中午，石小跳说话了："走吧！我们去吃自助餐！"哦！一大早处心积虑地跟着我们，敢情就是为了吃自助餐？！那就去吧——呵，没有想到的事情发生了……半路上，他瞅见个卖烧饼的，那种一块钱一个，大筒炉子里烤出来的，小人儿每次看见这个烧饼，都必须要吃。可我们是要去吃自助餐的啊，这一个大烧饼下去，还吃吗啊？！问他："如果吃烧饼，那我们就不去吃自助餐了，你自己想好哦？"石小跳毫不犹豫地给出答案："吃烧饼，不吃自助餐！"呃，那行！比他脸还大的一张烧饼，他就这么干巴巴地啃进肚了，再咕噜一杯水，得！饱了！爱吃烧饼的小孩，既然你这么爱吃，那娘亲就给你做吧！

做法

1 将油皮、油酥的食材分别混合。

2 揉成光滑柔软的面团后，用保鲜膜盖起来松弛30分钟。

30分钟

15分钟

3 等待面团松弛的时候，同时制作糖馅：先将糖馅中80 g的中筋面粉放到垫了锡纸的烤盘中，然后放入预热至175℃的烤箱中烤15分钟，烤好的中筋面粉变成黄色，很香！

4 将烤好的中筋面粉与80 g糖、30 g色拉油混合，拌匀。糖馅就做好了。

5 用松弛好的油皮包裹住油酥。

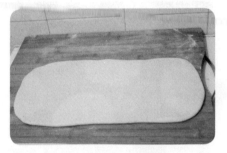

6 按扁后用擀面棍擀成长方形的薄面片。

7 接着，将面片卷成筒状。

8 切成小剂子，我切了16等份。切大块，饼大·切小块，饼小。

9 将小剂子的切片朝上，上下切面都捏合。

10 将面团按扁后用手或擀面棍整理成圆形的面片，包入糖馅。糖馅是松散状的，用拇指按压一下就能压实，这样会比较好包。

11 包入糖馅后，收口。

12 收口朝下，用手或擀面棍压成薄些的圆片。

15分钟

13 依次处理好所有的面团，表面喷水，撒上白芝麻，送入预热至220℃的烤箱，中层，烤约15分钟。

tips

1 皮和油皮非常容易风干，所以在整个操作过程中，要随时用保鲜膜将其覆盖，包好馅儿的饼胚在烤制前也亦如此。

2 喜欢咸口味的同学，可以不做糖馅儿。在第9步"将小剂子的切片朝上，上下切面都捏合"后，直接将其擀薄些成圆形的饼胚，然后在表面刷层盐水，撒上香葱和芝麻即可（葱花提前用盐腌一下再撒在表面，会更入味）。

豆沙烙馍

口口留香

工具 平底煎锅。

材料 老面 166 g，牛奶 20 g，面粉 50 g，白砂糖 15 g，盐 1/8 小勺。

　　烙馍就好比是中式的硬质面包，少糖少油又低盐，非常符合我们健康生活的标准。石小跳喜欢掰一大块馍，慢慢吃细细嚼。没错，这种馍的确是越嚼越香，而且制作起来一点都不复杂。

做法

1 将老面撕成小块后与其他食材混合，揉成光滑的面团。再啰嗦一遍：牛奶不要一次加完，各面粉的吸水量不同，适时调整。

2 将揉好的面团置于案板上，盖上保鲜膜松弛10分钟。

3 将面团分割成等量的两份，用擀面杖擀成直径约10cm的圆片。

4 包入豆沙馅，捏紧收口。

5 收口朝下按扁成圆饼，盖上保鲜膜室温发酵20分钟。

6 将饼放入平底煎锅中（不放油），盖上锅盖，小火烙至两面金黄。

老面就是发面团。制作方法：

1. 发面团：面粉25g，水14g，糖1/4小勺，酵母4g，将所有食材混合揉成光滑的面团后置于温暖处发酵至2倍大。

2. 将发酵完成的面团分成若干等份，用保鲜袋装起来冷冻。

3. 头天晚上将所需要的面团从冷冻室取出，放在冰箱0℃保鲜层过夜，次日清晨面团已经解冻好，若早上从冷冻室取出来放在室温解冻，需要1～1.5小时。

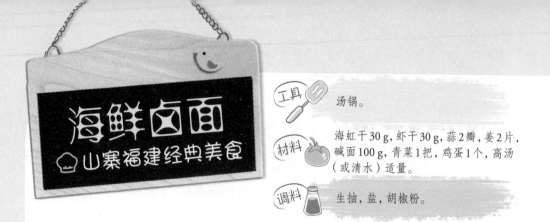

海鲜卤面

山寨福建经典美食

工具　汤锅。

材料　海虹干30 g，虾干30 g，蒜2瓣，姜2片，碱面100 g，青菜1把，鸡蛋1个，高汤（或清水）适量。

调料　生抽，盐，胡椒粉。

以前去福建玩，几乎每餐都少不了当地的卤面，海鲜和面条煮得糊糊的一大锅，入口即化，非常好吃。回到武汉后的这些年，就再也没有吃过卤面了，很是想念。最近新认识一位福建朋友，认识后第一件事就是讨教卤面的做法，一番讲解后，我回到家立马依葫芦画瓢山寨了一把。我不敢说有多正宗，但与我魂牵梦萦的味道也差不太多。

做法

1 海虹干用清水浸泡，洗净去除杂质。

2 油热后，将姜片和蒜片爆香。

3 放入海虹干炒出香味。

4 倒入足量的高汤（或清水），盖上锅盖煮。

5 汤汁将要沸腾时下入碱面，调入适量生抽和盐。

6 面身煮软后倒入打散的鸡蛋液。

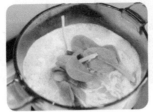

7 放入洗净后的青菜。

8 调入少许胡椒粉即可出锅。

tips

1. 如果用新鲜海鲜，只需在起锅前放入焯熟即可。卤面中的食材还可以有豆芽、黄花菜、笋丝、香菇、猪肉、火腿等。

2. 如果在爆香姜蒜时，切几片五花肉放进去一起炒，卤面的汤汁会更香。

3. 做卤面最好能用碱面，其口感是其他面条不能比拟的。

4. 喜欢浓汤口感的，得在汤汁还未煮沸时就放入生面条，这样就能煮出浓稠的卤面。相反，不喜欢浓汤的，则在汤煮沸腾后再放入面条，煮好后的卤面要及时吃掉，如果放久了，面条也会因为吸了太多汤汁而变得浓稠。

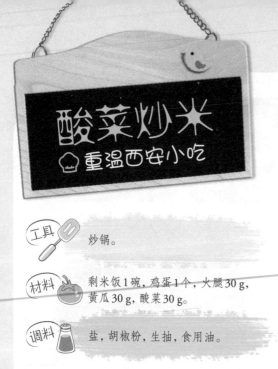

酸菜炒米
重温西安小吃

工具 炒锅。

材料 剩米饭1碗，鸡蛋1个，火腿30 g，黄瓜30 g，酸菜30 g。

调料 盐，胡椒粉，生抽，食用油。

西安是座有故事的城市，除此之外，西安大街小巷的小吃啊，我只恨当时我的嘴巴肚子不够使，怎么吃也吃不过来。在西安，人们习惯将炒饭称之为"炒米"，酸菜炒米，就是将酸菜切成丝后连同米饭、肉丝和青椒等一锅烩炒，米饭劲道弹牙，酸菜正好解了油饭的腻，非常好吃！家里的酸包菜正好泡好了，早餐当仁不让就做酸菜炒米。吃着炒米，带着石小跳一起重温那一年美好的西安之旅，并且向他许诺，一定带着他再赴西安……吃！

做法

1 油热后，将打散的鸡蛋液倒入，炒成鸡蛋花盛出。

2 无需关火，将切成丁的火腿倒入，小火煎至微黄后盛出。

3 锅中再添些油，烧热后将米饭倒入，快速炒散，炒热。

4 倒入火腿丁和切成丝的酸菜，翻炒均匀。

5 加入炒熟的鸡蛋花，调入适量盐、生抽和胡椒粉后翻炒均匀。

6 起锅前倒入切成丁的黄瓜，炒匀后即可。

tips

有时一些妈妈会问我，怎样才能将米饭炒得粒粒分明又不粘锅？对此我有三点个人心得：

1. 米饭得是隔夜的剩米饭。

2. 剩米饭中可以放一点点食用油拌一拌再入锅炒。

3. 炒饭前先得趟锅，即在锅烧热后倒入多一些的食用油，然后手持锅柄转动一圈，使锅内壁都均匀地挂上油，再倒出多余的油，只留些底油继续后面的烹饪。

奶油爆米花

5分钟炮制影院里好吃的

工具 炒锅。

材料 干玉米粒100 g，黄油20 g，白砂糖3大勺。

最后，给小朋友们上个小零嘴吧。周末石小跳同学最爱做的事儿——看电影、吃爆米花。其实他想要看电影完全是醉翁之意不在酒，为的只是那一桶香甜的爆米花。别说，边看电影边吃爆米花，真的很享受。其实，做爆米花非常简单，我们自己在家中完全可以炮制。而且，口味搭配还能自由选择呢。今天，我们来试个原味的奶油爆米花。

做法

1 玉米粒洗净后，用厨房纸吸干水分。

2 锅中放黄油，加热使之熔化。

3 将玉米粒放入，翻拌均匀，使玉米粒都能裹上油。

4 盖上锅盖，先大火加热。大约2分钟后，锅中的玉米粒就开始"噼里啪啦"地炸开花了，这个时候转小火，中途不要揭开锅盖。

5 用手拿着锅柄，不停地摇晃炒锅，使每粒玉米粒都能享受膨胀的礼遇，待锅中"噼里啪啦"的声音停止后，就表示玉米粒全部开花了，此时再揭开锅盖，加入适量白砂糖。

6 趁热将糖与爆米花拌匀，即可。

1. 玉米粒得买那种爆米花专用的玉米，粒小、饱满。

2. 食材分量的把握，我觉得可以依据自己的口味调整，喜欢奶香味重的可以多添点黄油，糖的分量也是如此。初次尝试，可参考玉米粒、黄油、糖按10：1：1的比例调配。

晚餐之美，美在味道，
美在随性，美在亲情。

让晚餐时间，
成为孩子的享受时光……

被网友热捧的"美食神帖"。

"全能型主妇"的晚餐指南，
三菜一汤，天天不重样。

留住孩子的胃，留住爱家的人，
享受"家庭CEO"。